ARTE EN LA CHARRERIA

Montura. Colección Luis González Cárdenas.

Fotografía: Mika Endo y Jorge Vértiz.

ABSOLUT XOCHIMILCO.

DISFRUTE CON MODERACION.
REG. S.S.A. DZO 4AI 012

TANE
ORFEBRES

Diseño de Objetos: Equipo de Diseño de TANE • Diseño Gráfico: Ricardo Salas • Fotografía: Jorge Alcalde, 2000

*Emblema diseñado para
conmemorar el año 2000, inspirado en Glifos Mayas:
KA' que a través de una carita representa el número DOS
y el glifo MIXBA'AL que equivale al CERO.*

En Jamaica hacemos los Monumentos Nacionales Portátiles.

Appleton Estate. Tesoro Nacional de Jamaica.

ÓRGANOS HISTÓRICOS DE OAXACA

El extraordinario patrimonio de órganos históricos de México es sin duda uno de los legados más elocuentes en la historia de la música, la organería y el arte universales. En México existen cientos de órganos históricos de un alto valor artístico y cultural construidos en los siglos XVII, XVIII y XIX, localizados principalmente en centros virreinales y establecimientos eclesiásticos. Tal es el caso de los más de cuarenta órganos que existen en el estado de Oaxaca.

Desde hace seis años Fomento Cutural Banamex, A.C., ha auspiciado la investigación, estudio, catalogación y restauración de los órganos históricos del estado de Oaxaca. Una razón importante de la realización de este proyecto es que estos instrumentos musicales son testigos vivos de nuestra historia.

Dentro del proyecto se determinó llevar a cabo las tareas de restaurar el órgano barroco del ex convento de Santo Domingo en Yanhuitlán, Oaxaca y el órgano barroco de la Basílica de la Soledad en Oaxaca. En las labores de restauración participaron ónstituciones como el Instituto Nacional de Antropología e Historia, la Academia Mexicana de Música Antigua para Órgano, A.C. (AMMAO) y el Instituto Getty de Conservación. Paralelamente se elaboró un plan educativo de formación de organeros e interpretación organística que consiste, por un lado, en capacitar aprendices de organeros para garantizar el uso adecuado de los instrumentos recién restaurados y, por otro lado, impartir cursos para formar músicos organistas locales.

Además, se decidió llevar a cabo la publicación *Estudio y catalogación de los órganos históricos de Oaxaca*, cuyos autores son Gustavo Delgado y Ofelia Gómez. El objetivo de este libro es contribuir a un creciente desarrollo de la conciencia sobre la importancia histórica y el valor artístico de los órganos antiguos mexicanos, así como de la necesidad de una constante e intensa labor de protección, rescate y revaloración. Actualmente se está restaurando el órgano de la iglesia de la Asunción de Tlaxiaco, Oaxaca.

✿ Fomento Cultural Banamex, A.C.

Virtualmente perfecto. Realmente irresistible.

Cuando se trata de experimentar las más sublimes sensaciones, es imposible evitar hacerlo a través del Dodge Intrepid ES 2000. La más alta tecnología aplicada al desarrollo automotriz se ha utilizado para el diseño y construcción del Intrepid ES 2000, sin olvidar ningún detalle. El proceso computarizado, al que hemos llamado Cibersíntesis genera la Diferencia Dodge y da como resultado un automóvil con desempeño y funcionalidad virtualmente perfectos, haciéndolo realmente irresistible.

- *Potente motor de aluminio 3.2 L con 225 CF.*
- *Sistema de sonido Infinity con reproductor de CD.*
- *Exclusiva transmisión automática con Autostick®.*
- *Asientos eléctricos de 8 posiciones.*
- *Frenos de disco de alto desempeño con ABS.*
- *Vestiduras de piel.*
- *Quemacocos eléctrico (opcional).*
- *Excelente coeficiente aerodinámico.*

Intrepid ES 2000

Dodge Intrepid ES 2000.
La máxima experiencia tecnológica aplicada al manejo.

Intrepid 2000 La Nueva Dodge

Santa Gabriela, 1991, óleo sobre tela, 300 x 200 cms., Col. Particular

sergio Hernández

MARZO A JUNIO 2000

MUSEO DE ARTE MODERNO

MARTES A DOMINGO DE 10:00 A 18:00 HRS. REFORMA Y GANDHI

MUSEO RUFINO TAMAYO

SEIS OBRAS DE GRAN FORMATO

AÑO 2000 MÉXICO

LA CONACULTA · INBA

"Paris Invitation"

No importa a qué lugar de Europa vayas, seguro regresarás con una foto de París*.

Al volar por Air France en viaje redondo México-Europa-México en Clase L'Espace 180 (Primera) y L'Espace 127 (Business), podrás disfrutar de:

• Una noche gratis en París en un hotel de 4 estrellas.
• Traslado del aeropuerto al hotel y de regreso en un auto privado con chofer.
• Un paseo por el Río Sena o un espectáculo nocturno o una comida o cena.

En el D.F. reserva al 5627-60-60 o Lada sin costo 01-800-00-6700.
Consulta a tu agente de viajes.

*Aplican restricciones. Este programa es válido únicamente para pasajeros que hayan comprado boleto con tarifa publicada para viaje redondo México-Europa en las clases L'Espace 180 (Primera) o L'Espace 127 (Business). No aplica con otras promociones. Los servicios ofrecidos están sujetos a disponibilidad y el traslado en automóvil aplica únicamente con reservación de hotel confirmada. Los cupones de servicio son individuales y no transferibles.

Hagamos del cielo el mejor lugar de la tierra.

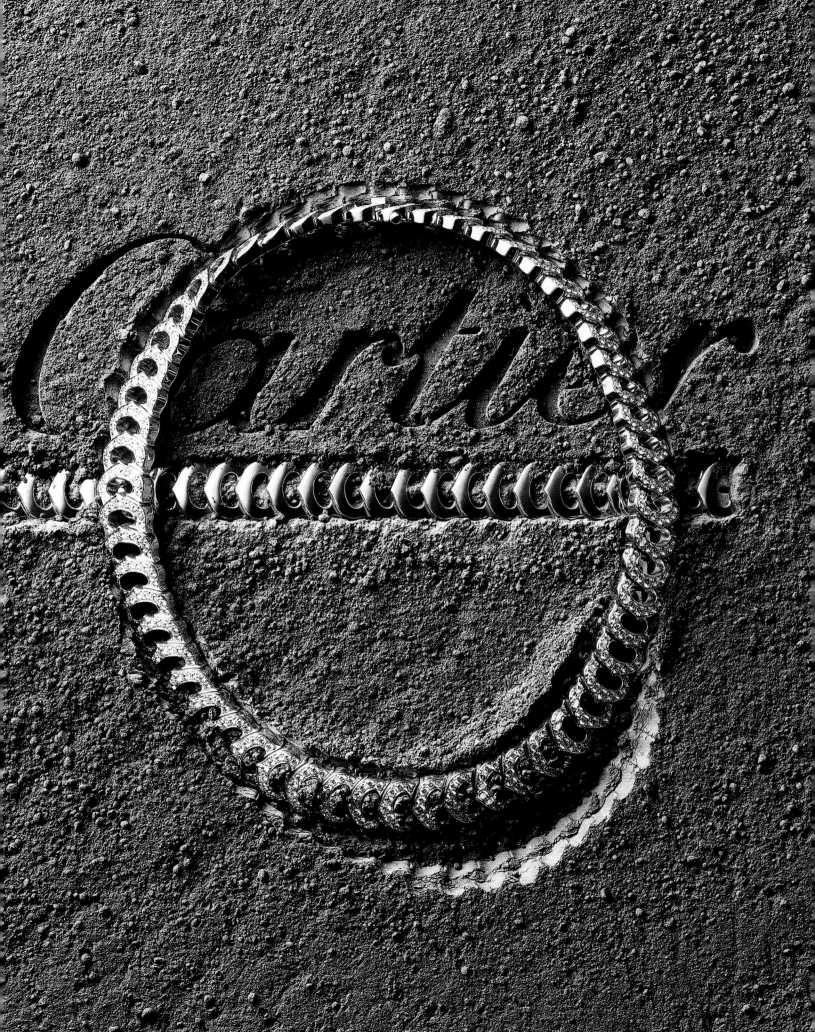

Reserva de la Familia. Un tequila de sangre azul.

CITIGOLD

Obtenga lo mejor de su

dinero

CitiGold

Ready Credit

Tarjeta de Crédito Preferred

Instrumentos Financieros

CitiFondos

Seguros*

Servicios especiales

con los expertos que trabajan para acrecentar sus recursos.

Llame al **01 800 849 2484**
y un ejecutivo de CitiGold
lo atenderá.

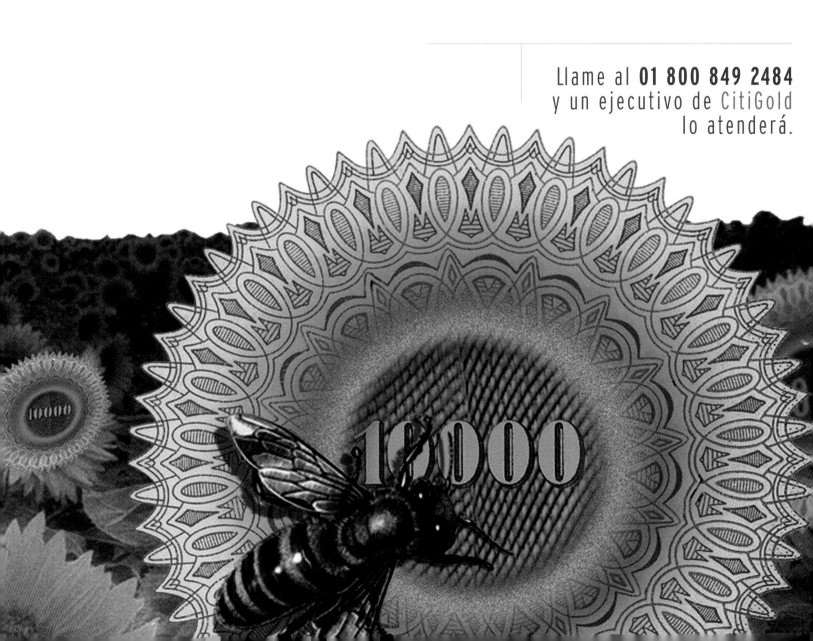

Aún sigues pensando
que lo mejor es
imprimir por tu cuenta ?

**REPRODUCCIONES
FOTOMECANICAS S.A. DE C.V.**
MIEMBRO DE TRANSCONTINENTAL

DEMOCRACIAS 116, COLONIA SAN MIGUEL AMANTLA, AZCAPOTZALCO. 02700 MEXICO, D.F.
TEL: 53 54 01 00   FAX: 53 54 01 12

LA Tehuana

REVISTA LIBRO NÚMERO 49
AÑO 2000
FUNDADA EN 1953 POR
MIGUEL SALAS ANZURES Y
VICENTE ROJO

DIRECTOR GENERAL
Alberto Ruy Sánchez Lacy
SUBDIRECTORA
Margarita de Orellana
GERENTE DE ADMINISTRACIÓN
Teresa Vergara
JEFA DE REDACCIÓN
Ana María Pérez Rocha
JEFE DE DISEÑO
Luis Rodríguez
JEFA DE PRODUCCIÓN
Susana González Ruiz
SECRETARIA DE REDACCIÓN
Sandra Luna
DISEÑO
Elisa Orozco
Héctor Hernández
Estela Arredondo
EDICIÓN EN INGLÉS
Michelle Suderman
ASISTENTE DE REDACCIÓN
Eduardo González
CORRECCIÓN
Elsa Torres Garza
Gabriela Olmos
Richard Moszka (inglés)
TRADUCCIÓN
Enriqueta Kuhlmann
Lorna Scott Fox
Lisa Heller
Richard Moszka
Johannes Weber
PUBLICIDAD
Yolanda Aburto
Laura Becerril
ASESORÍA ICONOGRÁFICA
Vera y Roberto Mayer

OFICINAS Y SUSCRIPCIONES
Plaza Río de Janeiro 52
Col. Roma, México, D. F. 06700
Teléfonos:
5525 5905, 5208 4503
5525 4036, 5208 3205
Fax: 5525 5925
Correo electrónico:
artesmex@internet.com.mx
Página web:
www.artesdemexico.com

IMPRESIÓN
Reproducciones Fotomecánicas, S.A.
de C.V. Impreso en papel Creaprint
de 135 gramos, Torras Papel,
comercializado por Unisource, S.A.
de C.V. y encuadernado en
Encuadernadora Mexicana, S.A.
de C.V.

CONSEJO DE ASESORES
Alfonso Alfaro
Luis Almeida
Homero Aridjis
Juan Barragán
Huberto Batis
Fernando Benítez †
Alberto Blanco
Antonio Bolívar
Rubén Bonifaz Nuño
Julieta Campos
Efraín Castro
Leonor Cortina
José Luis Cuevas
Salvador Elizondo
Cristina Esteras
Manuel Felguérez
Beatriz de la Fuente
Carlos Fuentes
Sergio García Ramírez
Concepción García Sáiz
Teodoro González de León
Andrés Henestrosa
José E. Iturriaga
Miguel León-Portilla
Jorge Alberto Lozoya
Alfonso de Maria y Campos
José Luis Martínez
Eduardo Matos Moctezuma
Vicente Medel
Álvaro Mutis
Bruno J. Newman
Luis Ortiz Macedo
Brian Nissen
Ricardo Pérez Escamilla
Jacques Pontvianne
Pedro Ramírez Vázquez
Vicente Rojo
Federico Sescosse L. †
Guillermo Tovar
José Miguel Ullán
Juan Urquiaga
Héctor Vasconcelos
Eliot Weinberger
Ramón Xirau

ASAMBLEA DE ACCIONISTAS
Víctor Acuña
Cristina Brittingham de Ayala
Mita Castiglioni de Aparicio
Armando Colina Gómez
Margarita de Orellana
Olga María de Orellana
Ma. Eugenia de Orellana de
Hutchins
Octavio Gómez Gómez
Rocío González de Canales
Michèle Sueur de Leites
Bruno J. Newman
Jacques Pontvianne
Abel L. M. Quezada
Alberto Ruy Sánchez Lacy
José C. Terán Moreno
José Ma. Trillas Trucy
Teresa Vergara
Jorge Vértiz

CONSEJO DE ADMINISTRACIÓN
Presidente
  Alberto Ruy Sánchez Lacy
Vice Presidente
  Jacques Pontvianne
Consejeros
  Octavio Gómez Gómez
  Phillip Hutchins
  Bruno J. Newman
  Margarita de Orellana
  Abel L. M. Quezada
  Enrique Rivas Zivy
  Jorge Sánchez Ángeles
  Teresa Vergara
Comisario
  Julio Ortiz
Secretario
  Luis Gerardo García Santos Coy

**INSTITUTO DE INVESTIGACIONES
ARTES DE MÉXICO**
Director
  Alfonso Alfaro

REPRODUCCIÓN FOTOGRÁFICA:
Gerardo Hellión: 3, 4, 5, 32 izquierda,
42, 43 abajo, 50-51, 66 arriba,
67 derecha, 78.
Jorge Vértiz: 8-9, 10, 12, 13, 16,
17, 18, 19, 20, 21, 22, 24, 25, 27, 28, 29,
30, 31, 32 derecha, 33, 34, 35, 36, 37,
38, 39, 40, 41, 45-46, 56-57, 62, 64 abajo,
66 abajo, 67 izquierda, 68, 73, 74,
75, 76-77, 85, 88, 95.
Ariel Zúñiga: 81, 90, 96.

Artes de México es una publicación
de Artes de México y del Mundo,
S.A. de C.V. Miembro núm. 127 de
la CANIEM. Certificado de Licitud de
Contenido núm. 55. Certificado de
Licitud de Título otorgado por la
Comisión Calificadora de
Publicaciones y Revistas Ilustradas
núm. 99. Reserva de Título núm.
04-1998-061720262000-102.
Como revista: ISSN 0300-4953.
Como libro: ISBN 970-683-002-2.
Distribuida por Artes de México y
DIMSA, Mariano Escobedo 218,
Col. Verónica Anzures, México, D. F.
11370. Marzo de 2000.

AGRADECIMIENTOS
Ruth D. Lechuga
Ofelia Murrieta
Martha Zamora
Ariel Zúñiga
Museo Nacional de Arte
Museo Serfín
  Angelina Belloso
  Elvira Herrera Acosta

Página 1:
Luis Márquez.
Istmeñas.
Colección Ofelia Murrieta.

Oswaldo Barra. *Boda tehuana. Ca.* 1960.

Temple sobre tela. 90 x 150 cm.

Colección Vera y Roberto Mayer.

LA ZANDUNGA ES EL HIMNO DE TEHUANTEPEC, AL IGUAL QUE *LA LLORO-*
NA ES EL DE JUCHITÁN. AMBOS SON SONES QUE PUEDEN BAILARSE A RIT-
MO DE VALS, AY DE MÍ, LLORONA, LLORONA, LLORONA DE AYER Y HOY,
PARA ATRÁS Y PARA DELANTE, PARA LA DERECHA Y PARA LA IZQUIERDA,
MECIÉNDOSE DE UN PIE AL OTRO, LA ENAGUA BARRIENDO EL COMPÁS
SOBRE EL PISO DE TIERRA APISONADA. LAS CANCIONES SON ANCESTRA-
LES, DELICADAS, MELANCÓLICAS, LENTAS, TOCADAS EN INSTRUMENTOS
PRIMITIVOS, CONCHAS, BONGÓS, TAMBORES CON SUS BAQUETAS, LAS MA-
RIMBAS TRAÍDAS DEL ÁFRICA, FLAUTAS DE MADERA Y DE BAMBÚ LLAMA-
DAS PITO, UN TAMBOR AL QUE SE LE DICE "CAJA" Y EL *BIGÚ* INDÍGENA,
LA CONCHA DE UNA TORTUGA QUE CUELGA DEL CUELLO DEL MÚSICO.

Elena Poniatowska, *Juchitán de las mujeres*, Ediciones Toledo, México, 1989.

Huipil y enagua de holán bordados
a mano sobre terciopelo y huipil
largo en encaje blanco y de color.

Página siguiente:
Huipil y enagua de holán bordados
en cadenilla sobre tafetán.
Zapotecos del Istmo.
Museo Ruth D. Lechuga de
Arte Popular.

T odas las crónicas de viajeros sobre el Istmo de Tehuantepec hablan de una fascinación. Lo peculiar es que en vez de sentirse encantados por el lugar, por la arquitectura o por la naturaleza, como factores principales de su interés, los cronistas se declaran bajo el efecto de la seducción absoluta y creciente de las mujeres de esa región. Ellas son un fenómeno cultural en sí mismo: ellas crean con sus cuerpos, sus atuendos, sus rituales comunitarios y sus gestos cotidianos un ámbito excepcional, y un tiempo que sólo es suyo. Son un mito en el sentido más clásico del término porque tienen un rito vivo, una existencia material que lo sustenta y lo recrea. De los viajeros prototípicos del siglo XIX (hombres de negocios teñidos de utopía o exploradores ilustrados de lo desconocido, enviados por empresas o universidades o por gobiernos expansivos), el efecto se extiende en el siglo XX también a los artistas, a los escritores, a los etnógrafos, quienes multiplican las imágenes y convierten al Istmo en lugar de peregrinación cultural de propios y extraños. Y el motivo magnético es la tehuana. Su nombre es una generalización adoptada externamente que incluye una diversidad de mujeres de la región: juchitecas, blaseñas, etcétera. Aunque ellas sean el producto evidente de intensos mestizajes, el viaje mítico hacia la tehuana es un viaje hacia las fuentes, hacia las raíces. Un salto fascinado no sólo hacia el abismo cultural de una idea de México sino hacia el fondo mítico más lejano de las culturas, donde se supone que el matriarcado era ley. La tehuana tiene sin duda el valor cultural de lo distinto. Sus múltiples representaciones artísticas podrán ser cuestionadas por su alto contenido mítico pero son fieles a una verdad más profunda que es justamente esa cautivante diversidad cultural. Las tehuanas, por decir istmeñas, sí son distintas y sí son fascinantes. Cuando las mujeres del Istmo de Tehuantepec bailan sus sones en una de las rigurosas fiestas rituales que llaman velas, sus faldas y sus huipiles de flores coloridas hacen del salón o de la pista una especie de jardín móvil, acompasado, seductor. Un jardín que nos atrae con magnetismo desusado. Un oleaje que florece: la espuma se derrama en holanes bajo la falda. Un ir y venir de miradas altivas, de sonrisas seguras de su predominio. Cuando las istmeñas bailan, el hipnotismo es natural. No hay artista que no sucumba. La cultura que portan todas las variantes de tehuana es una densa trama de gesto y tela, de labor cotidiana y fiesta, que juntas dan a la vida sentido de mito y de ceremonia que lo reinventa, de una verdad comunitaria y sus visiones externas. En la exploración continua que hace *Artes de México* de los símbolos de la cultura nacional no podía faltar la revisión de las mujeres del Istmo. Presentamos crónicas clásicas, forjadoras del mito, y un despliegue de algunas de las huellas que las tehuanas han dejado en la sensibilidad de nuestros artistas y escritores.

Luis Lupone.
Fiesta en el barrio del Laborío,
Tehuantepec. 1990.
Del estudio fotográfico previo
al documental
Que sí quede huella.

ALBERTO RUY SÁNCHEZ LAC

LA trama DE UNA cultura

INESPERADA belleza de añil

MATHIEU DE FOSSEY

Entre los sueños e intentos de las grandes potencias del siglo XIX por abrir un canal interoceánico de Tehuantepec a Veracruz hubo uno de Francia que pretendía colonizar Coatzacoalcos. Un aventurero de 26 años, Mathieu de Fossey, participó, en 1831, en ese proyecto de colonización que habría de fracasar. Él viviría en México 25 años (con una interrupción de dos años en Francia) y escribiría, en 1844, un libro clásico que cierra con una imagen fundadora de Tehuantepec y sus mujeres, misma que aquí reproducimos.

Tehuantepec es una villa de unos seis mil vecinos poco más o menos: está situada a 70 leguas estesudeste de Oaxaca, y siempre fue la segunda población del país zapoteca. Cortés, en sus cartas dirigidas a Carlos V, y todos los geógrafos antiguos la designan como puerto de mar; pero con motivo del receso de las aguas del Océano Pacífico, se halla en la actualidad a más de cuatro leguas de la playa.

El principal oficio de los habitantes de Tehuantepec es el cultivo del añil y la elaboración del rico tinte que de él se saca. El añil es una planta parecida a la alfalfa que después de cortada se echa en una tina llena de agua en la cual se deja fermentar, y cuando ha llegado a su punto la fermentación se deja correr en otra tina el agua que contiene en disolución la fécula que da el color azul. Se menea con violencia en esta segunda tina para separar la fécula de las sales propias de la planta y, al tiempo que las partículas coloridas se van juntando, se dejan asentar. Quedando clara el agua se abre una llave por donde pasa la fécula azul a una tercera tina hasta que haya adquirido cierto grado de desecación, y se pone en cajitas donde acaba de perder su humedad.

El añil de Tehuantepec es de muy buena calidad, y así su cultivo se ha sostenido mejor que el de la grana. Las cosechas que hace 30 años producían 35 mil libras de añil, año con año, producen ahora la misma cantidad e incluso la sobrepasan. El añil más fino es el que se hace con la flor de la planta; sólo en Guatemala es donde se hacen algunos quintales de éste.

El múrice, marisco que da el color púrpura tan nombrado en la Antigüedad, y cuyos cardúmenes se han agotado en las playas de la isla de Chipre, se encuentra en toda la costa occidental desde Guayaquil hasta Acapulco; pero se recolecta especialmente en las rocas de las lagunas de Tehuantepec en donde abunda. Van las mujeres a las rocas con piezas de género o mazos de algodón hilado divididos en pequeñas madejas, y, a medida que van sacando el marisco, [lo] aprietan con los dedos y, sobre lo que quieren teñir, exprimen un licor blanquizco que se vuelve purpúreo al secarse.

Es indeleble este color y adquiere lustre después de muchos lavados: no pega igualmente bien en todos los géneros, así es que tiñe mejor el algodón y la lana que la seda. Lo aprecian mucho las mujeres de Tehuantepec, las de Juchitán y de las inmediaciones; ponen faldas de este tinte en sus enaguas, y pagan muy caro este adorno cuando no van ellas mismas a teñir sus efectos.

Usan las mujeres de Tehuantepec un vestido particular que sin duda es el más elegante de América, sin exceptuarse el de las limeñas, que tiene más de estrafalario que de original y más de ridículo que de gracioso, por más arte que empleen en hermosearlo. El vestido de las tehuantepecanas consiste en una saya de muselina o de gasa, guarnecida de grandes holanes o aun de flecos de oro, afianzada en las caderas con una banda de seda; luego viene el huipil con mangas cortas, que se amolda fluctuante en el pecho, dejando destapada parte de la cintura. Este huipil es de muselina bordada o de un género de color liso; pero llevan otro más, siempre de muselina blanca, en la cabeza, de modo que haga la guarnición del cuello un marco encerrando la cara, y caigan por delante las dos mangas hasta la cintura y por detrás hasta la mitad de la espalda. El conjunto de este vestido, del todo adecuado a realzar los atractivos de una joven, conserva a las mil maravillas todas las formas del cuerpo, a la vez que es rico y airoso.

La primera ocasión que vi a unas jóvenes tehuantepecanas en su vestido nacional, me parecieron divinas. Por otra parte, tienen su mirar y sus modales un aire de molicie que confronta perfectamente con lo airoso de su compostura. Como viven bajo un cielo abrasador, sucede que son apasionadas en el placer. El viajero que llega a Tehuantepec un día de fiesta y ve a esas jóvenes tan elegantemente ataviadas, queda admirado y embelesado, así como podría suceder al encontrar una rozagante vegetación y frescas hierbas en medio de los arenales áridos de la Libia. O como cuando uno acaba de recorrer un país cuyos escasos habitantes presentan una fealdad y un hedor repugnantes, el contraste le hace apreciar todo el encanto de un cambio inesperado.

MATHIEU DE FOSSEY (1805- *ca.* 1870) es autor de *Le Mexique*, cuya primera edición en México estuvo a cargo de Ignacio Cumplido en 1844. Las ediciones francesas que del mismo se hicieron en 1857 y 1862 tienen variantes. Este texto fue tomado de *Viaje a México*, prólogo de José Ortiz Monasterio, CNCA, 1994.

Uno de los más interesantes sabios viajeros que vinieron a México en el siglo XIX fue el cura francés Charles Brasseur; su libro sobre el Istmo de Tehuantepec en 1859 incluye esta escena de fascinación por una tehuana que ayudó a forjar la imagen de las mujeres del Istmo como seres excepcionales.

LA didjazá

CHARLES BRASSEUR

José Parres Arias.
Tehuana. Ca. 1930.
Pastel y gouache sobre papel
montado en tela. 96.5 x 66.6 cm.
Colección particular.

Página anterior:
Alfonso X. Peña.
Tehuanas.
Óleo sobre tela. 70 x 60 cm.
Museo de Arte Moderno, INBA.

Aunque las mujeres en Tehuantepec, exceptuando a las criollas, son las menos reservadas que haya visto en América, tienen, no obstante, la suficiente modestia todavía para no presentarse en lugares públicos como éste [el billar del pueblo]. Nunca vi más que a una que se mezclaba con los hombres sin la menor turbación, desafiándolos audazmente al billar y jugando con una destreza y un tacto incomparables. Era una india zapoteca, con la piel bronceada, joven, esbelta, elegante y tan bella que encantaba los corazones de los blancos, como en otro tiempo la amante de Cortés. No he encontrado su nombre en mis notas, ya sea que lo he olvidado, o que nunca lo haya oído; pero me acuerdo que algunos, por broma, delante de mí la llamaban la Didjazá, es decir, la zapoteca, en esta lengua. Recuerdo también que la primera vez que la vi quedé tan impresionado por su aire soberbio y orgulloso, por su riquísimo traje indígena, tan parecido a aquél con que los pintores representan a Isis, que creí ver a esta diosa egipcia o a Cleopatra en persona. Esa noche ella llevaba una falda de una tela a rayas, color verde agua, simplemente enrollada al cuerpo, envuelto entre sus pliegues desde la cadera hasta un poco más arriba del tobillo; un huipil de gasa de seda rojo encendido, bordado de oro; una especie de camisola con mangas cortas caía desde la espalda velando su busto, sobre el cual se extendía un gran collar formado con monedas de oro, perforadas en el borde y encadenadas unas a otras. Su cabello, dividido en la frente y trenzado con largos listones azules, formaba dos espléndidas trenzas, que caían sobre su cuello, y otro huipil, de muselina blanca plisada, enmarcaba su cabeza, exactamente con los mismos pliegues y de la misma manera que la calantica egipcia. Lo repito, jamás he visto una imagen más impresionante de Isis o de Cleopatra.

No me extenderé acerca de su reputación: estaba al nivel del de la mayor parte de las señoras de Tehuantepec, de cualquier tipo que fueran. Fue la ligereza en las costumbres demasiado generalizada en esta ciudad, esencialmente voluptuosa por su carácter y su situación, la que había obligado a don Juan Avendaño a separarse de su mujer y a enviarla provisionalmente con su hija a casa de sus padres, en el estado vecino de Chiapas. Pero esta india, tan bella y tan seductora a los ojos de quienes se encontraban con ella, era objeto de misterioso terror para muchos otros. Algunos la consideraban loca; pero la mayor parte, sobre todo entre las clases bajas, le temían pues la consideraban bruja y

en comunicación con los naguales o espíritus del monte Rayudeja. Además del conocimiento profundo de las hierbas medicinales y de sus combinaciones, le atribuían un sinnúmero de otros saberes de los que hacía uso según le pluguiera, y hasta su destreza en el billar era considerada como parte de su magia. Los indios la respetaban como a una reina; a cualquier hora de la noche que ella se atreviera a pasar por delante de los puestos de guardia los centinelas parecían reconocerla instintivamente y se abstenían de su *quién vive*.

En cuanto a mí, aunque bastante incrédulo respecto de su poder sobrenatural, no estaba en modo alguno molesto de tener una idea de lo que se consideraba como bruja en Tehuantepec. Cuando don Pancho Portocarrero, uno de los amigos de Avendaño, me llevó por primera vez al salón de billar con el fin de mostrarme esa maravilla, me pareció que las seducciones de su persona debían ejercer un poder más temible en aquellos que se dejaban arrastrar por sus encantos, que todos los sortilegios de sus brebajes encantados. No pude, sin embargo, dejar de encontrar algo extraño en su mirada; tenía los ojos más negros y más vivos del mundo, sobre todo cuando estaba ocupada en el juego. Había momentos en los que se detenía de pronto, apoyándose en el borde de la mesa de billar o contra la pared, con la mirada fija y empañada; se hubiera dicho la de un muerto. Un momento después bajaba los párpados y por debajo de sus largas pestañas de ébano relumbraba un relámpago que daba escalofríos al que tenía enfrente.

—¡Está loca!, me dijo una vez don Abraham, el empleado principal de Avendaño.

¿Era la locura, como él lo sostenía? ¿O era, tal como lo creían los demás, una ausencia, y su espíritu se trasladaba con su nagual a un mundo desconocido? Es el lector quien debe decidir. Ni una sola vez tuve la ocasión de hablar con esta mujer; me contentaba con observarla mientras escuchaba lo que ella decía y lo que se decía junto a ella. Se expresaba en un castellano tan bueno como el de las mejores señoras de Tehuantepec; pero nada era tan melodioso como su voz cuando hablaba en esa hermosa lengua zapoteca, tan dulce y sonora que se podría llamar el italiano de América. ✣

CHARLES-ETIENNE BRASSEUR DE BOURBOURG (1814-1874), sacerdote, viajero y sabio francés, escribió 13 novelas de aventuras y varios relatos de viaje. Descubrió y divulgó varios documentos clave de los mayas y de otras culturas prehispánicas, entre los que destaca el Popol Vuj.

La Vida

Serguéi M. Eisenstein

Entre diciembre de 1930 y mayo de 1932, el cineasta soviético vino a México para filmar un gran documental que permanecería inconcluso. El productor de la película era un escritor progresista norteamericano vinculado estrechamente con Moscú: Upton Sinclair. Al tener indicios de la caída en desgracia política de Eisenstein en el estalinismo de 1932, y ante el crecimiento de los gastos de producción, interrumpió bruscamente el proyecto de la película que iba a llamarse *¡Que viva México!* Ese mural cinematográfico marcaría, aún en fragmentos, muchas de las visiones que los mexicanos tuvieron de sí mismos durante las décadas siguientes.

En abril de 1931, después de haber estado en Oaxaca, Eisenstein envió un primer esbozo de argumento a Upton Sinclair.

Ahí contraponía muerte y vida en la cultura del país. Para él, la mejor ilustración de la vitalidad mexicana era lo que vio en Tehuantepec.

"La vida" posteriormente se convertiría en un capítulo llamado: "Zandunga".

Vida…
Los trópicos adormilados, húmedos, lodosos.
Ramas cargadas de fruta.
Agua que refleja sueños.
Y la ensoñación latiendo en los párpados
de las mujeres.
De las muchachas.
De las futuras madres.
De las que antes lo fueron.

Como abeja reina, la madre gobierna en Tehuantepec. Por cientos de años, el sistema tribal femenino se ha preservado milagrosamente. Las ramas de algunos árboles extraños son como serpientes. Y como serpientes se mueven las olas de la cabellera negra y pesada alrededor de los ojos soñadores de las muchachas que anhelan a su hombre. En Tehuantepec las mujeres son las activas.

Y desde la infancia la mujer comienza a construir una nueva familia. Tejiendo. Cortando fruta. Vendiendo. Sentándose horas y horas en el mercado. El mercado lento y movedizo que se desborda de gente en Tehuantepec. Día tras día, centavo tras centavo. Hasta que el cuello de la muchacha resiente el peso de una cadena de oro. Una cadena de monedas doradas. Monedas de Guatemala, de Estados Unidos, monedas con el águila mexicana. Dote y ahorro, fortuna y libertad, hogar nuevo y boda. Una de las palabras usadas en español para la boda es ¡casamiento! En su sentido básico significa fundación de una nueva casa. Nuevo hogar. Nueva familia.

Vemos fiestas pintorescas donde sobreviven costumbres ancestrales como la de marcar con rojo la cara, recordando la práctica española de marcar a indios y ganado. Vemos danzas, vestidos de diseños antiguos, oro, plata y encajes. Presenciamos la historia de amor de una mujer joven. A través de atuendos y ritos, su historia se mueve del amor a la boda. Y de su boda, y el baile de la Zandunga, hacia su afortunado hogar de sombras bajo las palmas. Un nuevo hogar a la sombra del huipil blanco como la nieve: tocado en forma de montaña nevada de la madre triunfante y de la novia.
La serenidad nevada.
Nevada como la cabellera envejecida del Popocatépetl. 🔹

SERGUÉI MIJÁILOVICH EISENSTEIN (1898-1948), cineasta clásico, dibujante, escritor de memorias y teórico de cine. Autor de películas como *La línea general*; *El acorazado Potemkin*; *Octubre*; *Alexander Nevski* e *Iván el Terrible*. De sus numerosos libros, se han publicado en México: *El sentido del cine*; *La forma del cine* y *Yo, memorias inmorales*, en Editorial Siglo XXI; y el guión de *¡Que viva México!* en Editorial Era. El texto que presentamos fue tomado de la correspondencia entre Eisenstein y Sinclair publicada en *The Making and Unmaking of Que Viva México*, Thames and Hudson.

Mariana Yampolsky. Sin título. 1989.

LA CREACIÓN DE UN Símbolo

ÍDA SIERRA

Desde principios de siglo xx, la naciente cultura urbana necesitó de símbolos que mostraran su riqueza. Con la Revolución mexicana esta necesidad se volvió más apremiante. La figura de las tehuanas despertaba deseos y sueños en quienes las contemplaban, y ofrecía características que bien podían representar la grandeza del nuevo proyecto de nación. Aída Sierra nos narra cómo se fue gestando y consolidando esta figura como símbolo nacional.

Los efectos de la representación de
la tehuana en la década de 1920 se remontan a crónicas de
viajeros y fotografías del siglo XIX, que mostraron el Istmo
de Tehuantepec como un lugar extrañamente mágico, o bien,
desde una óptica etnográfica, como un sitio curioso.

La región cobró importancia al mediar el siglo por su
localización estratégica, militar y comercial. Durante el mandato
de Porfirio Díaz, se hicieron expediciones, agrimensuras y
relatos pormenorizados de los poblados y habitantes del Istmo.
A estas memorias, unas de carácter científico, otras
cautivadores relatos de travesías, cabe agregar el interés
personal de Porfirio Díaz por la región zapoteca.

De aquí, quizá, esa su preferencia por el vestido de las
tehuanas, el cual, a finales del siglo, figuraría con frecuencia
como disfraz en bailes "de fantasía" y carnavales.
Paulatinamente, aparecerían tehuanas junto a las populares
manolas, majas, maría antonietas, campesinas bávaras,
princesas romanas y toda clase de indumentarias pintorescas.

También a principios del siglo XX, Charles B. Waite haría
una serie fotográfica sobre el Istmo de Tehuantepec, que
incluye vistas panorámicas, tehuanas en diferentes actitudes,
con sus cántaros en el río o listas para la fiesta de san Vicente,
su santo patrón. Scott, otro fotógrafo estadounidense, intentó
hacer una descripción visual de lo que era considerado una
etnia. Sus tehuanas, como algunas de Waite, fueron captadas
en actitudes cotidianas: miraban con simpatía hacia la cámara
cuando, sorprendidas en el mercado, llevando agua o ropa
lavada, se les pedía detenerse para mostrar el contenido de
su *jicalpextle*.

Al mirar estas imágenes, es evidente que el vestido y
las mujeres de la región acapararon su interés; tal vez la
indumentaria fue el "lugar" más palpable de aquella diferencia
étnica de la cual desearon establecer su registro.

Antes de la apertura del canal de Panamá, el tráfico
internacional era muy intenso en la zona zapoteca del Istmo.
José Vasconcelos, quien entonces viajaba por la región
promoviendo la campaña maderista, dejaría, años más tarde,
testimonio de sus impresiones en su *Ulises criollo*: "Los nuevos
ricos se dedicaban a la especulación; los pequeños propietarios
de la víspera habían visto centuplicado el valor de sus tierras
vendiéndolas o arrendándolas al extranjero, y todo el mundo
se divertía sudando".

"Ninguna apetencia de la carne se quedaba insatisfecha" en
aquellos sitios, donde Vasconcelos creyó ver a los mestizos
"esculturalmente más hermosos y sensuales de América", y
donde llamaba la atención "el espectáculo deslumbrante" que
era ver a las mujeres ir y venir en el mercado.

Vasconcelos se embelesaba en la descripción de las tehuanas,
a quienes consideraba exóticos habitantes de un lugar de "raros
encantos y sensualidades violentas". A las dos ciudades
istmeñas de mayor influencia, Tehuantepec y Juchitán, las veía
como criolla y mestiza respectivamente, "con atractivo exótico
que no tiene par en todo el planeta". Sobre todo, lo sorprendían
gratamente las mujeres, a las que menciona una y otra vez:
"Ataviadas con telas rojas y amarillas, con tocas blancas,
estrechas de hombros y de cintura, amplias de caderas, duros
y punteados los senos y negros los ojos, aquellas mujeres tienen
algo de la India sensual, pero sin la religiosidad".

Izquierda:

Sotero Constantino Jiménez.

Pareja de niñas.

Juchitán. 1925-1945.

Plata sobre gelatina. 14 x 9 cm.

Instituto de Artes Gráficas de

Oaxaca.

Abajo:

Hugo Brehme. *Tehuantepec.*

Muchachas en traje nacional.

Cromolitografía tomada de *Mexiko.*

Baukunst, Landschaften,

Volksleben, Berlín, 1925.

Página anterior, izquierda:

Anónimo. *María Conesa.*

Plata sobre gelatina coloreada.

14.4 x 9.5 cm.

Colección Jaime Cuadriello.

Página anterior, centro:

Miguel Monroy.

Retrato de niña. 1925.

Colección Ofelia Murrieta.

Página anterior, derecha:

Charles B. Waite. *Tehuana. Ca.* 1900.

20.5 x 12.5 cm.

Colección Rafael Doniz.

Página 16:

Saturnino Herrán. *Tehuana,* 1914.

Óleo sobre tela. 150 x 75 cm.

Museo de Aguascalientes, INBA.

Aunque José Vasconcelos escribió estos recuerdos mucho tiempo después, alrededor de 1935, es probable que tuviese apreciaciones no del todo distintas en 1922, pues fue él quien sugirió al recién llegado Diego Rivera hacer un viaje a la zona zapoteca. Por aquel entonces, Rivera estaba por finalizar la decoración mural *La creación* en el anfiteatro Bolívar, y Vasconcelos no la encontró totalmente de su agrado, ya que aún podían reconocerse con bastante claridad las huellas de los frescos europeos vistos por el artista el año anterior.

Vasconcelos, como secretario de Educación Pública, buscaba una vía estética con la cual hacer visible la obra espiritual que debía abrigar una empresa genuinamente ¡nacional! Pero no porque pretendiera encerrarse obsecadamente dentro de nuestras fronteras geográficas, sino porque se proponía crear los caracteres de una cultura autóctona hispano-americana. De ahí su entusiasmo porque Diego Rivera fuese al Istmo, tierra ligada a ésta, su noción iberoamericanista de "lo nacional". Según Olivier Debroise, es posible que Vasconcelos hubiera encontrado en el pueblo zapoteca la intuición y la fuerza "bárbaras" que inyectarían vitalidad a la cultura de herencia hispana para renovarla; y también un lugar próximo al "refinamiento de lo nativo y popular" que, una vez encauzado, florecería en un ambiente universal.

Así, cuando Rivera finalizaba *La creación*, Vasconcelos decidió financiar su estancia en el Istmo de Tehuantepec, pues deseaba "deseuropeizar" un tanto su pintura y consideraba que el ambiente idóneo se lo proporcionaría el sur de México. Siguiendo su recomendación, Rivera marchó rumbo a Tehuantepec; en esta primera vez haría numerosos apuntes de la región, las mujeres, los bailes y el paisaje. A su regreso se declaró muy sorprendido. Rivera había descubierto al fin "su" trópico mexicano, un espacio lleno de sensualidad y libertades totales, la alegoría moderna del paraíso terrenal.

Tal fue el gusto por la importancia del tema que Diego Rivera lo desarrolló en los cuatro paneles del primer tramo de la escalera del entonces recién inaugurado edificio de la Secretaría de Educación Pública. También Rivera se abocó a la búsqueda de una fuerza antigua y revitalizadora donde fundar el presente.

Nostalgia del origen común al pensamiento moderno. Retorno al paraíso que causó en gran medida su fascinación por el cálido trópico, pues para él se trataba de una noble vuelta a la patria, después de 14 años de ausencia, y al mito del origen.

Dueñas del paraíso, las tehuanas reaparecieron en los frescos de Rivera posteriores a 1923. *La zafra, Los tintoreros* y *Zandunga*, ubicados en el patio del trabajo de la SEP, y *Baño en Tehuantepec* en el cubo de acceso al elevador, son imágenes de una vida rural que se desenvuelve ligada a la siembra y cosecha de los frutos de una tierra bondadosa. Apacibles istmeños conviven en una especie de comunión espiritual con la naturaleza.

Arriba:

Rafael García.

Estela Ruiz. 1937.

Plata sobre gelatina. 34 x 26.5 cm.

Colección particular.

Abajo:

Billete de diez pesos. 1959.

Roberto Montenegro.
Retrato de Rosa Rolando. Ca. 1926.
Óleo sobre tela. 101 x 100 cm.
Colección particular.

21

La vida diaria transcurre imperturbable entre frondosas palmeras y paisajes de fantásticos colores verdes y ocres brillantes, y sólo es interrumpida por la fiesta ritual. Los zapotecos de Rivera pertenecen a una comunidad ejemplar, laboriosa y muy pacífica.

En 1923 la región no era apacible y tampoco se había destacado por serlo, pues sus habitantes tuvieron fama, desde el siglo XIX, de ser valientes indomables "cuando se trata de defender los derechos contra tiranuelos", como afirmó Miguel Covarrubias. ¿Por qué entonces imaginar en estos términos ideales la vida del trópico?

Las imágenes de Rivera configuraban otra historia, menos cercana a los sucesos propios de la región y más ligada a una manera de concebir lo nacional: aquella que evocaba al indígena como ejemplo de la sociedad, exaltaba su condición, y en gran medida, restaba contemporaneidad a su existir, coincidiendo con el ideal de un orden armónico anhelado dentro de la vida urbana después de la Revolución.

En esos años, las tehuanas eran figuras populares en los espectáculos, un toque de nacionalismo en el teatro o la carpa. El día primero del año, las empresas cerveceras regalaban un calendario con la fotografía de alguna tiple vestida de tehuana. *La Zandunga* era puesta en escena por compañías de zarzuela y en las fiestas se escuchaban los acordes de *La Llorona*. Muchos intelectuales viajaron entonces al Istmo. De ello queda memoria en diversos escritos y testimonios, entre los cuales está el del fotógrafo Edward Weston, quien narra cómo en la casa de Lupe Marín y Diego Rivera se hablaba "mucho de

Tehuantepec, el lugar más al sur del Istmo, de las bellas mujeres y sus vestidos. Ellas son quienes dirigen el comercio de la región, mientras los hombres hacen los trabajos físicos. Allí, el amor libre es práctica común a pesar del catolicismo, pues no es tomado en serio salvo en sus aspectos festivos. Los indígenas hablan un idioma propio, el cual algunos eruditos suponen fue el de los antiguos atlantes".

Otro comentario referido a las tehuanas es el que Jean Charlot recogió de Diego Rivera, quien al regreso de su primer viaje al Istmo contaba "historias de una sociedad matriarcal, donde mujeres amazonas reinan sobre hombres hechizados; donde los nativos nacidos blancos, al ser abrasados por el sol ardiente, toman un color ocre profundo y duradero; donde bellas bañistas poseen una piel salpicada de manchas parecida a la de los leopardos. Allí, mujeres tehuanas codiciando sus sustanciosas formas, decía él, se acercaron a su esposa para ofrecerle a cambio cualquier hombre que ella a su vez pudiera desear".

Conocida es la capacidad que Rivera tenía para crear fabulosas historias sobre los acontecimientos, pero lo que importa señalar aquí es que, por su diferencia, la región zapoteca podía hacer despegar la fantasía y ser el espacio de lo insólito, para imaginar en éste una vida distinta a la convencional. En aquella lejana geografía se proyectaban los propios deseos y añoranzas.

La generalización en la capital de ideas parecidas en torno a la actitud de la mujer istmeña provocó la respuesta del oaxaqueño Andrés Henestrosa, vecino de la zona. Su artículo, que a modo de aclaración se tituló "Las formas de la vida sexual en

María Luisa Zea y Lupe Vélez.
Fotograma de la película
La Zandunga, dirigida por
Fernando de Fuentes. 1937.
Colección Cineteca Nacional, CNCA.

Página anterior, izquierda:
Olga Costa.
Tehuana con sandía. 1949.
Punta seca. 48 x 61 cm.
Colección particular.

Página anterior, derecha:
María Izquierdo.
Autorretrato (Mujer oaxaqueña).
Óleo sobre masonite. 61 x 50 cm.
Colección particular.

Juchitán", se dirigía a quienes creían que algunos hábitos del Istmo se derivaban de una especie de "languidez tropical". Henestrosa subraya y explica todos los convencionalismos a que estaban sujetas las mujeres para llegar al matrimonio y la costumbre femenina de bañarse desnudas en el río. Consideraba que estos temas eran sólo inquietantes a ojos de turistas y viajeros que no conocían una realidad distinta a la suya, pues "ignoran que la vida, toda, del Istmo, o más estrictamente de Juchitán, obedece a costumbres que arrancan de una vieja tradición. [...] Se trata de un modo de ser y de una forma de conducta".

Sin embargo, dentro de la construcción de símbolos nacionales, no había interés por particularizar las formas de vida regionales; por el contrario, se buscaba conservar su sentido espectacular, su mítico esplendor, de modo que sirvieran para mostrar "costumbres de antaño y características raciales de ayer", según palabras de Adolfo Fernández de Bustamante, quien, junto con el pintor Adolfo Best Maugard, fuera censor de la película *¡Que viva México!* de Eisenstein. En su escrito, "Lo que Eisenstein vio en el Istmo de Tehuantepec", adopta una posición muy clara en tanto a la imagen que debía darse al extranjero: "Nuestra raza, nuestro país de indios, criollos y mestizos, no sabe de sentimentalismos hechos con papel cartón; sólo sabe de dramas construidos con piedra y sangre. Y pues si eso es lo que nos ha revelado al extranjero como distintos, como dignos de ser tomados en consideración, a qué seguir caminos que no son para nuestras plantas".

Enseguida combate la imagen de México difundida vía Hollywood, pues da por supuesto que lo visto y lo filmado por Eisenstein era una versión precisa de lo mexicano en su esencia: "[Eisenstein] vino a nuestro país para, tras el señuelo de nuestras leyendas, encontrar la verdad estética de las maravillas mexicanas, tanto más desconocidas en el extranjero, cuanto más calumniadas".

En lo que se refería a la región istmeña, el cálido trópico no necesitaba explicaciones, se delineaba "somnoliento y pintoresco con vahos de selva tórrida y mujeres de pechos erguidos como la canción popular".

Al ser parte de la cultura occidental —un extremo de la misma—, la cultura urbana en México recompone en su interior la noción de exotismo, misma que en tiempos de desintegración social permite generar una identidad basada en el esplendor del México antiguo. El exotismo, ese espacio del "otro", se distingue en este país como lo no estrictamente europeo. Es una noción que funciona a manera de espejo: se es íntimamente lo que no se refleja al exterior. Se desea ser también lo no contaminado por una cultura occidental, a la que muchos intelectuales consideraban, ya desde el inicio de la década de 1920, en decadencia.

Es entonces cuando las culturas indígenas son asumidas como "la novedad de la patria", son ese espejo que, paradójicamente, lejos de constatar la existencia de lo diverso, muestra rostros con los cuales cobrar identidad, para ahora situarse distintos dentro del "concierto de las naciones". Emular lo indígena, reinventarlo simbólicamente, es hacia afuera una resistencia a la homogeneidad, pero hacia adentro opera a la inversa.

La imagen de la tehuana se extendió a otras pinturas y a otros pintores. Roberto Montenegro las situó en ambientes extraños, espacios vacíos y equívocos, en estado de trance o de meditación, silenciosas frente al dolor, enmarcadas por muros rectangulares, reflexivas ante la vida irremediable y la melancolía de la separación. Sus lienzos, *Mujer con pescado* (1928), *La curandera* (1928) y *Adiós* (1935), retoman las siluetas hieráticas y arcaicas de las tehuanas de Rivera para hacer alusión a las interrogantes que le provocan la vida y la muerte, a su pensamiento en torno a la existencia. La vida cotidiana del Istmo ya no es el único tema relacionado con la mujer zapoteca, pues ahora, como símbolo, puede pertenecer a otro orden también simbólico: el de lo individual.

Paraíso y trópico, cuerpo femenino y frutos naturales, tehuanas y femineidad nacional, son ideas que establecen asociaciones conjugadas. La mujer relacionada a lo "otro", a un lugar más allá de lo racional, era ya una percepción afianzada dentro de la cultura urbana al iniciarse la década de 1940. 🖎

AÍDA SIERRA es historiadora del arte. Ha trabajado como investigadora en el INAH y en el CENIDIAP. Actualmente dirige el Departamento de arte de la Universidad Iberoamericana. Su ensayo *Geografías imaginarias*, del cual publicamos unos fragmentos, la hizo merecedora del Premio Nacional de Crítica de Arte "Luis Cardoza y Aragón" en 1992, y fue el punto de partida para la exposición "Del Istmo y sus mujeres. Tehuanas en el arte mexicano" (Museo Nacional de Arte, 1992).

Ángel Zamarripa.
Tehuana. 1938.
Acuarela y tinta. 47.5 x 29 cm.
Colección particular.

Página anterior:
Adolfo Best Maugard.
Tehuana. 1919.
Gouache. 45 x 30 cm.
Colección particular.

Mirando
HACIA EL SUR

MIGUEL COVARRUBIAS

En 1946 se publicó, originalmente en inglés, uno de los libros más atractivos sobre el Istmo de Tehuantepec, *Mexico South*, de Miguel Covarrubias. Relato de viaje, diario de un escritor con intereses etnográficos y de un artista excepcional. Presentamos algunos fragmentos de los capítulos dedicados a la cultura istmeña de ese ensayo que ya es un clásico.

Izquierda:
Tina Modotti.
Tehuanas en el río. 1929.
26.9 x 33 cm.
Museo Nacional de Arte, INBA.

Abajo:
Miguel Covarrubias.
Escena de mercado.
Óleo sobre masonite. 56 x 30 cm.
Colección particular.

Página siguiente:
Sonora News Company.
*Buque de comunicación
fluvial*. 1906. 13 x 20 cm.
Archivo General de la Nación.

Página 27:
Manuel Álvarez Bravo.
*Mujer del Istmo peinando
a Isabel Villaseñor*. 1933.
Plata sobre gelatina. 24 x 19.5 cm.
Colección Olinca Fernández
Ledesma.

E l tesoro más valioso de Tehuantepec
son sus mujeres. Su indumentaria, belleza y atractivo tropical
se han vuelto legendarios entre los mexicanos de la misma
manera que las jóvenes de los mares del sur inspiran la
imaginación de los norteamericanos. Ellas son las que, entre los
diez y los 80 años, reinan en el mercado, la institución de mayor
importancia en toda sociedad matriarcal. El mercado está
situado a un lado de la plaza; su enorme techo de vigas toscas
y tejas musgosas descansa sobre columnas viejas y gruesas,
pintadas la mitad de marrón y la otra mitad de beige, mientras
que el maderamen del interior es de un pálido color rosa.
El aspecto del lugar denota un deterioro considerable a pesar
de las recientes ampliaciones realizadas en tabique y cemento,
cuyo objetivo era mejorar su funcionamiento. Con estos
colores pastel como trasfondo, las mujeres de Tehuantepec
se reúnen por las mañanas y por las tardes para hacer lo que
más les gusta: vender, comprar, chismear, lucir sus vestidos
resplandecientes, ver a las demás y dejarse ver.

Todavía no clarea cuando las primeras en llegar disponen ya
sus puestos; se trata de las vendedoras de chocolate y café
y de las que ofrecen pan, tamales y quesos para el desayuno.
Sólo entonces pueden verse hombres en el mercado,
madrugadores que van de camino a su trabajo. El amanecer
saluda a las vendedoras, quienes llegan de todos los rumbos
cargando sus mercancías sobre la cabeza. Mujeres del pueblo
vecino de San Blas balancean grandes montones de totopos
que han envuelto en paños blancos con rayas azules o rojas;
de las huertas traen cargando frutas y flores en canastas que,
mediante una extensión hecha de hojas de plátano colocadas

sobre palos de bambú, pueden contener más del doble de su capacidad normal; y llegan también las que acarrean canastas llenas de cocos, panes de azúcar morena, piezas de alfarería o, bien, una mesa y una silla para un puesto de refrescos. Un tema predilecto de los poetas zapotecos es el garbo de sus mujeres cuando caminan así cargadas. Con un ritmo y un aplomo casi indescriptibles, se deslizan majestuosamente, inmóviles de la cintura para arriba, al tiempo que su paso ágil ondula y mece sus amplias faldas de holán.

Ponen sus puestos en sitios determinados por la tradición; colocan sus artículos sobre el suelo, mientras los compradores vienen y van; charlan, regatean y se llaman la atención entre ellas dando palmadas sin empacho. Conforme avanza la mañana aumenta el barullo en el mercado, aunque disminuye el volumen hacia el mediodía, cuando todas se retiran a sus casas para comer.

Al atardecer regresan para realizar las ventas vespertinas, que consisten en pan dulce, tamales, queso y otros alimentos para la cena.

La vía del tren, que hace las veces de paso peatonal, atraviesa el pueblo de lado a lado para luego internarse en el gran puente de acero que se extiende sobre las playas arenosas y el agua castaña del río Tehuantepec. El angosto andén de tablones flojos resuena contra el metal bajo las pisadas constantes de los peatones. En el agua poco profunda, mujeres semidesnudas se bañan y lavan ropa, a la vez que niños chapotean y, en los bancos de arena, aguadores cavan estanques rectangulares para filtrar el agua de río que venden en el pueblo a diez centavos por cada cuatro botes gasolineros de diez galones

que transportan a lomo de burro. Los aguadores son también zapotecos, pero son originarios del lejano Valle de Oaxaca —por lo que se les llama vallistas— y hablan un dialecto diferente al de los tehuanos. Los vallistas son vistos con cierta lástima y menosprecio, porque no son tan pulcros y aseados como los tehuanos y porque viven miserablemente, en chozas improvisadas a las orillas del río.

En Tehuantepec se lleva una vida ceremonial muy intensa que, si bien tiene cierta relación con los santos patronos de las iglesias, no puede considerarse realmente católica, ya que las fechas litúrgicas sólo representan pretextos para celebrar fiestas muy elaboradas y de larga duración en las que se siguen practicando rituales prehispánicos. Tehuantepec fue sede de una diócesis, la cual se cambió a San Andrés Tuxtla. Cerca de la plaza se yerguen aún las ruinas de un gran convento del siglo XVI que construyó el rey zapoteco Cosijopi para los frailes dominicos. Actualmente sólo se usa una parte de este edificio que alberga la cárcel municipal y una capilla donde se celebran los casamientos. Esta capilla, a la que se llama pomposamente "la catedral", fue reconstruida a base de concreto en la última década del siglo XIX, a instancias de doña Juana Romero. Existen además pequeñas iglesias en cada uno de los doce barrios que integran Tehuantepec. Cada uno de estos templos es propiedad de los habitantes del barrio correspondiente y rara vez se ve en ellos un sacerdote católico. Pero es ahí donde se realizan, una vez al año, los festejos dedicados a cada santo patrón. El sistema de barrios posiblemente sea una combinación de la antigua organización tribeña de los habitantes originales y de las modificaciones hechas por los españoles para conservar las

fiestas religiosas. Ya en 1674, Francisco de Burgoa relató en sus escritos que existían en Tehuantepec 18 barrios, en el lado norte del río, con aproximadamente mil familias. Algunos barrios tienen nombres distorsionados en zapoteca, mientras que otros llevan sólo el nombre de su santo patrón. Otros más, como Totonilco, Jalisco y San Blas Atempan, cuentan con nombres en náhuatl, que indican la existencia de colonias aztecas.

Tehuantepec es una palabra náhuatl que significa "cerro del jaguar", cuyo equivalente en zapoteco, *Dá:n gie' be'zè*, "cerro del jaguar de piedra", denomina al cerro principal en torno al cual se levanta este poblado. Es indudable que este lugar fungió en épocas pasadas como santuario para rendir culto al jaguar. Al cerro se llega por una vereda escabrosa que pasa entre matorrales llenos de espinas. En la cima se yergue una pequeña capilla blanca que probablemente ocupa el sitio donde antes existía un templo dedicado a este animal. En el interior sólo se encuentra una cruz sencilla y los pétalos secos de las flores empleadas en la ofrenda más reciente; nada se aprecia que recuerde a los misteriosos felinos, salvo los canalones de barro fabricados en la localidad, cuyos remates representan toscas cabezas de jaguar. En una cueva, ubicada en un costado del cerro, hay un petroglifo que representa, de manera bastante primitiva, la figura de un felino similar. Aún se recuerda en Tehuantepec la leyenda que existe en torno a este sitio: "El cerro estaba infestado de jaguares, de una variedad sumamente sanguinaria, que mataban y aterrorizaban a los habitantes, motivo por el que éstos recurrieron a un célebre brujo huave para que exorcizara a los felinos. Con este fin el hechicero hizo que emergiera del mar una gigantesca caguama y que se arrastrara lentamente hasta el cerro. El monstruo llegó al punto donde inicia la pendiente justo en el momento en que los jaguares descendían en doble fila. Éstos, al ver a la tortuga, se paralizaron de miedo y fueron convertidos en piedra. Sin embargo, los zapotecas se sintieron igualmente aterrorizados

con la caguama, por lo que le rogaron al hechicero que se deshiciera de ella. Acto seguido, el brujo convirtió al animal en una roca inmensa". Quienes conocen la leyenda pueden ver, todavía hoy, los vestigios de los animales en las grandes rocas al pie y en la cumbre de la colina. […]

CUERPOS ISTMEÑOS. Los tehuanos son en su mayoría indios zapotecos cuya sangre tiene ascendencia de casi todas las razas que hay en el mundo. Las tehuanas siempre han gustado de los fuereños y de todos aquellos españoles, franceses, americanos, irlandeses, orientales, chinos y negros que han cruzado el Istmo o que han vivido ahí permanentemente dejando rasgos característicos en su historia. La mezcla resultante, aunada al célebre y atractivo vestido de las mujeres, explica la fama de la belleza y el porte de las tehuanas. […]

Los hombres son más altos que las mujeres, pese a la creencia popular de que es a la inversa, derivada sin duda de la grandiosidad del vestido femenino y de la apariencia, hasta cierto punto raquítica, de los hombres. El ser delgado en Tehuantepec es un signo de mala salud y las mujeres suelen halagarse entre sí diciendo "¡Qué frondosa y elegante te ves!" Esta expresión equivale a decir "qué bien te ves". Hay una gran tendencia hacia la exuberancia, y "frondosidad" es realmente el calificativo que más se adecua a las tehuanas, por su cuerpo monumental, sólido y fuerte. A los hombres les gusta que sus mujeres sean sustanciosas y, a decir verdad, una mujer que para nosotros tiene un peso normal sería considerada en Tehuantepec como una mujer flaca.

Al igual que todos los que viven en contacto con la tierra, las istmeñas envejecen más pronto pero más agraciadamente que en nuestras ciudades modernas. Las mujeres de edad avanzada desempeñan diariamente trabajos pesados y, tanto ellas como los hombres mayores, tienen un vigor que podría ser la envidia de las jóvenes generaciones. Los viejos se caracterizan por la calma, expresión que denota la sabiduría del pueblo campesino, y las ancianas, por conservar su porte digno y distinguido.

Aunque se arrugue su piel, su cuerpo sigue siendo joven y fuerte, y sus rasgos, a medida que van haciéndose más angulares y pronunciados, muestran rasgos indígenas cada vez más profundos. […]

PASIÓN POR LA INDUMENTARIA. El vestido de las tehuanas es uno de los mayores atractivos del país, es pintoresco y llamativo, elegante y seductor, aviva la aridez del panorama con brillantes toques de color provenientes de siluetas agraciadas. Convierte a toda mujer zapoteca en una reina, en una imagen traída de Egipto, Creta, India o de un campo de gitanos. Los poetas zapotecos jamás se cansan de halagar en sus versos el porte distinguido de sus mujeres. De todo México es el traje regional de mayor popularidad y belleza, y ninguna comedia musical o carnaval en la ciudad de México podría considerarse completo sin algún destello de las tehuanas sintéticas.

Es difícil creer que las mujeres indígenas del remoto Tehuantepec se preocupen tanto por su vestimenta y tengan ese fanatismo por la moda, su propia moda, como sus hermanas "civilizadas" del norte. Las tehuanas tienen fama de sentir una gran pasión por los objetos de valor y las telas de gran colorido, pero ante todo por tener reglas definitivas e inamovibles sobre lo que es correcto e inadecuado en el vestir y sobre aquello que debe ser usado para determinada ocasión. Más aún, su moda varía bajo su escrupulosa observación, característica poco usual para comunidades rurales y tradicionalistas. La suya es una sociedad de mujeres, dirigida por y para las mujeres. Ellas trabajan con gran tesón para invertir el dinero adquirido en comprar sedas, encajes, terciopelo y listones. Trabajan durante largos meses para poder confeccionar con sus propias manos los vestidos y bordarlos con tal exquisitez y elegancia que les permita sentir la satisfacción de estar bien vestidas y provocar la envidia del resto de las mujeres y, de paso, llamar la atención de los hombres.

En Tehuantepec, usar los modelos pertenecientes al año anterior no distingue a su portadora dentro la comunidad como una persona elegante. Trátese de una terrateniente privilegiada, de la hija de un campesino o de la esposa del mismo, una tehuana no sólo debe portar lo más exclusivo, sino también lo último de la moda para presentarse en los múltiples festejos. Aunque sólo perciba unos cuantos centavos al día vendiendo flores, fruta, chocolate o queso en el mercado, y aun cuando viva en una casa hecha de adobe y techo de paja, la mujer ahorra, incluso se puede prestar a trabajar como esclava, con el único fin de obtener para sí un traje nuevo que la hará brillar en el próximo baile o le permitirá "dejarlos muertos" en el festival del barrio vecino. Diariamente se observa cómo mujeres de diversas edades pasean portando vestidos tan ricos y elegantes, y llevando sobre su cabeza grandes canastos llenos de frutas y de flores, que es difícil creer que sólo vayan al mercado o que simplemente se dirijan a sus hogares después de una ardua jornada.

El vestido de las tehuanas para uso diario consta de un refajo blanco, la única ropa interior que usan, que se lleva debajo de una falda larga y amplia que llega hasta el suelo. Dicha falda (rabona, en español, *bisu'di* en zapoteco) está hecha de algodón estampado en vivos colores con volantes en el borde inferior, que se agitan graciosamente cuando la mujer camina o, mejor dicho, se desliza sobre las calles polvorientas del pueblo. La enemistad entre Tehuantepec y Juchitán puede palparse en las diferencias de la moda. No sólo se jacta cada pueblo de tener a las mujeres más hermosas y mejor vestidas, sino aquello que es ley en cuanto a colores y estilos en Juchitán, suele ser tabú en Tehuantepec y viceversa. Las tecas (nombre abreviado que se da a las juchitecas) toman como punto de partida el ancho del volante de las tehuanas, que mide 20 centímetros, para hacer el suyo de modo que mida lo doble. Para las tehuanas, ésta es una prueba suficiente del mal gusto de las tecas. El motivo sigue siendo un misterio, ya que las antiguas fotografías de las damas de Tehuantepec mostraban volantes aún más anchos que aquellos que las mujeres usan en Juchitán actualmente.

Una versión moderna del huipil prehispánico complementa el vestido. El huipil de Tehuantepec *(bida: nì wi'nì)* es una blusa o corpiño de talle corto, que se confecciona a partir de un tramo de muselina de un metro de longitud doblado a la mitad, con una abertura para el cuello, y costuras laterales que respetan el espacio exacto para el brazo de su dueña. El huipil se forra con una tela más corriente para evitar que la blusa se transparente a la altura del pecho. Los colores de los huipiles siguen una tradición que no ha variado en por lo menos 20 años que tengo de haberlos visto por primera vez: púrpura oscuro, rojo, carmesí intenso o bermellón, ya sea liso, con lunares o con motivos de hojas y flores. El material con el que estaban hechos aquellos primeros huipiles provenía de las fábricas textiles de Manchester, Inglaterra, y se vendía exclusivamente en el Istmo.

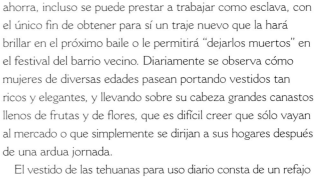

En la actualidad, los fabricantes mexicanos han monopolizado el mercado, pero las tehuanas de edad avanzada aún suspiran por los antiguos algodones importados.

Actualmente se estila decorar los huipiles con una franja ancha de motivos geométricos. Esta complicada labor se logra bordando, en punto de cadena, un determinado patrón de líneas entrelazadas y sobrepuestas con la ayuda de una máquina de coser Singer e hilos de colores contrastantes: amarillo limón y rojo para los huipiles morados, amarillo y negro para los rojos. La decoración de los huipiles también varía de acuerdo con los cambios de la moda. Con el tiempo los motivos se han hecho cada vez más laboriosos y han provocado el surgimiento de nuevas propuestas. Últimamente las mujeres de Juchitán han creado diseños geométricos, sumamente complicados, que se conocen con el nombre de jaiberas ("vendedoras de jaibas"). Estos modelos gustaron tanto en Tehuantepec que los adoptaron de inmediato, sin importarles su lugar de origen. Antes de que el diseño de jaibera se convirtiera en algo tan popular, el bordado se hacía también en punto de cadena, pero con una aguja o gancho para tejer, y consistía en motivos florales muy delicados, similares a la filigrana.

Las mujeres suelen ir descalzas, a excepción de las pertenecientes a las clases "superiores", quienes siempre han usado zapatos. Las ancianas con pies sensibles suelen usar las sandalias de hombre. Las niñas se visten de la misma forma que sus madres, cuidando hasta el último detalle. Sin embargo, en sus hogares no usan más que listones para el pelo y un par de calzoncillos.

Para los zapotecos del área de Tehuantepec, las diferencias económicas no influyen en el trato social. Un campesino descalzo siempre ha sido igualmente bien recibido en una fiesta que la esposa privilegiada de un hacendado. Sin embargo, en cada pueblo hay una pequeña aristocracia de muchachas, seguidoras de las modas citadinas, quienes peinan su pelo con esmero y usan zapatos, medias, vestidos muy modernos pero demasiado ceñidos, poco favorecedores comparándolos con el vestido tradicional. La gente que porta los vestidos modernos,

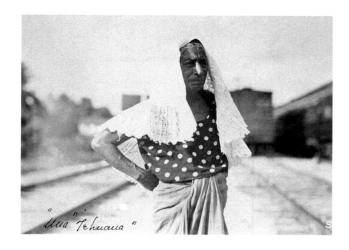

símbolo de la clase gobernante, ha introducido un nuevo tipo de esnobismo social. La población está drásticamente dividida entre personas de vestido ("vestido moderno"), personas de holán ("que usan volante") y las personas de enredo ("faldas envolventes").

ENREDOS DE CARACOL PÚRPURA. Las mujeres de edad avanzada aún acostumbran usar el enredo de herencia prehispánica *(bisu'di renda)*, mismo que está hecho con dos tantos de tela de algodón tejida a mano, unidos por una costura longitudinal que da a la prenda el tamaño necesario para cubrir incluso los tobillos: dos metros de largo por casi metro y medio de ancho. El enredo se coloca alrededor de la cintura y se sujeta con un ceñidor.

Los enredos más comunes son los de color azul oscuro, teñidos con índigo natural, o los rojos brillantes con franjas verticales en amarillo, blanco o azul. Estas franjas confieren a las mujeres mayores, todavía ágiles y fuertes, una cierta dignidad arcaica que contrasta con la elegancia y el señorío de las jóvenes vestidas con faldas de holán. El huipil de las ancianas es oscuro y sencillo, sin encaje. Es más corto que el que visten las jóvenes, por lo que al alzar los brazos, deja visible una parte del abdomen. Suelen trenzar su pelo gris y después sujetarlo con listones alrededor de la cabeza, que algunas cubren con un pañuelo grande de seda negro o blanco. La mayoría de las mujeres de edad usa un chal largo y negro en sustitución de la antigua túnica que se ponía en la cabeza y cubría la espalda hasta poco más abajo de la cintura.

Para las ceremonias, las vanidosas ancianas zapotecas se procuran enredos costosos de caracol, teñidos en un púrpura encendido completamente firme, obtenido de las secreciones de un molusco muy particular. El hilo que se emplea para tejer estas faldas está teñido por los indígenas chontales de Huamelula y Astata, dos pequeños poblados ubicados en la costa rocosa del Pacífico. Dos veces al año, en cierta fase de la luna, estos indígenas se hacen a la tarea de buscar entre grietas y rocas a los minúsculos caracoles. Van con las madejas de hilo de algodón que habrán de teñir enredadas en sus antebrazos.

Izquierda:
Walter Scott.
Una tehuana. Ca. 1910.
13 x 18 cm.
Archivo General de la Nación.

Derecha:
Walter Scott.
India de Tehuantepec. Ca. 1910.
13 x 18 cm.
Archivo General de la Nación.

Abajo:
Miguel Covarrubias.
Ilustración de *Mexico South*,
Alfred A. Knopf, Nueva York, 1946.

Página anterior:
Miguel Covarrubias.
Dos tehuanas. Ca. 1945.
Gouache. 35 x 26.6 cm.
Fundación Robert Brady A.C.

Con sumo cuidado de no dañarlos, pues cada vez son más escasos, capturan a los moluscos y posteriormente soplan con fuerza sobre ellos para irritarlos de tal modo que secreten el tinte viscoso que recolectarán con las madejas. Posteriormente y sin haberlos lastimado, los regresan a su lugar; de esta forma podrán extraer, en otra ocasión, aquel líquido viscoso. El agua de sal y el sol se encargan de hacer el resto: el color cambia de amarillo limón a un verde pálido y finalmente se convierte en un hermoso púrpura encendido. El hilo teñido con caracol es muy raro y costoso, no obstante los tejedores de Tehuantepec poseen una gran lista de espera con los nombres de señoras ansiosas que están dispuestas a pagar de 50 a 100 pesos —el equivalente al sueldo mensual del esposo o hijo— con el objeto de adquirir una de estas faldas de color púrpura.

Pese al olor tan desagradable, como de pescado podrido, que se impregna en el hilo teñido con caracol y perdura aún después de haberse lavado un sinnúmero de veces durante años, sigue habiendo una gran demanda por dichas prendas. De hecho, a las mujeres les agrada este olor, puesto que lo consideran una muestra definitiva y absoluta de su autenticidad. Toda tehuana respetable que gusta del buen vestir posee un enredo teñido con caracol que jamás se atrevería a vender, aun a cambio de su valor en oro. Los tienen en tan alta estima que con frecuencia mencionan como uno de sus últimos deseos el ser enterradas con un enredo púrpura, puesto que están plenamente seguras de que el hilo teñido con caracol jamás se pudre. [...]

EL LUJO DEL ORO. El traje de gala de las tehuanas está hecho en satín de vivos colores o en terciopelo negro; en ocasiones llega a valer cientos de pesos. Consta de una falda y un huipil que armonizan entre sí. Su decoración de indescriptible belleza se compone de franjas anchas con motivos geométricos o de grandes flores semejantes a las de los mantones de Manila, que bordan a máquina con hilos de seda en colores brillantes. Los holanes que forman el borde de la falda son de encaje almidonado, cosido cuidadosamente a mano. Como la falda arrastra hasta el suelo, que casi siempre está cubierto de puro polvo o lodo, el holán recién plisado sólo puede portarse una vez. A una mujer le toma dos largos días lavar, almidonar y plisar los tres o cuatro metros de encaje con una plancha pesada y antigua.

Ningún vestido de fiesta está completo si no luce una joya de oro. Al igual que las gitanas o las nativas del norte de África, las tehuanas están dispuestas a invertir toda su fortuna en adquirir collares, broches, aretes, monedas de cinco, diez y de 20 dólares estadounidenses, guineas inglesas, diminutos dólares guatemaltecos y los grandes y antiguos centenarios mexicanos de 50 pesos, todo en oro. Muchas de estas monedas se remontan a los días en que se construyó el tren de Tehuantepec y el oro fluía por el Istmo. Incluso entonces, cuando los compradores de oro peinaban la región para adquirir las joyas de las tehuanas, no era raro ver que una joven o una mujer de mediana edad se negara a sucumbir a la tentadora recompensa ofrecida a cambio de las alhajas que lucía alrededor de su cuello y que tenían un valor de más de mil dólares. Aquéllas que se han visto obligadas a vender el oro que les pertenecía asisten a los bailes portando joyería en plata dorada reforzada con monedas mexicanas de plata bañadas en oro y colocadas

del lado del escudo nacional, con lo que se asemejan a las monedas de oro que están a punto de desaparecer.

EL HUIPIL MÁS ESPECTACULAR. La prenda istmeña de mayor belleza es un tocado de encaje plisado y almidonado, que se usa en ocasiones ceremoniales importantes. Se le conoce como "huipil de cabeza" o "huipil grande" (*bida: niró*) y en realidad no es otra cosa que un blusón en malla de seda o encaje con cuello, mangas simuladas y un borde o peplo de encaje almidonado y plisado, guarnecido con listones de seda.

Este huipil se porta de modo distinto dependiendo de la ocasión. Para asistir a la iglesia, el cuello con holanes enmarca la cara, mientras el resto del huipil cubre los hombros en forma de capa dejando que cuelgue una manga adelante y la otra atrás. Para los días de fiesta, para ir de paseo o para ir al mercado —considerado siempre como un acontecimiento importante— el gran peplo de encaje deberá colocarse sobre la cabeza de modo que el resto del huipil, que incluye el cuello y las mangas, cuelguen hacia atrás. Los múltiples pliegues de encaje forman un majestuoso tocado del que parecieran desprenderse rayos blancos, que enmarcan la cara de la joven en forma semejante a los penachos de grandes plumajes empleados por los indios guerreros de las planicies norteamericanas.

MIGUEL COVARRUBIAS (1904-1957). Pintor, caricaturista, escenógrafo y escritor. Uno de los protagonistas de la cultura mexicana durante la primera mitad del siglo XX. En su obra plasmó con una mirada cosmopolita las culturas nacionales de México y de otros países. Entre sus libros están *La isla de Bali*; *El águila, el jaguar y la serpiente*; *Arte indígena de México y Centroamérica*. Existe una edición mexicana de *El sur de México*, INI, 1980.

Una segunda piel

Annegret Hesterberg

Seducida por los diversos testimonios en torno a la belleza del atuendo de la mujer istmeña, la autora buscó desentrañar el mito. Puso así de relieve la estrecha correspondencia entre el traje y su portadora.

En los últimos 200 años, muchos viajeros han visitado la región del Istmo dejando testimonio escrito de sus impresiones. Hasta ahora, la mujer istmeña ha sido calificada como única respecto de otras mujeres indígenas de México. Se le describe como independiente, de carácter fuerte, valiente, libre y orgullosa, y a pesar de seguir un ideal de belleza más exuberante —contrario al occidental—, su físico se percibe como exótico, aristocrático e, incluso, majestuoso.

Se pueden atribuir estas impresiones a la actitud positiva que los zapotecos del Istmo han mostrado tener frente a su pertenencia étnica. A pesar de ser la región un centro de comercio y de constante confrontación con personas de ámbitos culturales diversos, los istmeños han desarrollado una serie de mecanismos para defender su identidad cultural, entre los cuales destacan la elaboración de su vestimenta y la manera de portarla. ¿Qué sería de la mujer istmeña vestida con pantalón de mezclilla y camiseta? Ciertamente el vestido no hace a la persona, pero sí proyecta la imagen que su portador desea transmitir a través de éste. Es una especie de "segunda piel" que, a diferencia de la corporal, puede ser elegida, creada y manipulada libremente, dependiendo, claro está, del material, la confección, la ornamentación y la manera de llevarla. Toda forma de vestir constituye una "escenificación" consciente o inconsciente, por medio de la cual cada persona manifiesta su propio "yo".

En relación con el traje étnico, esta tesis podría parecer extraña, ya que, con frecuencia, éste refleja formas transmitidas con el tiempo, y tiene como función, entre otras, la de distinguir a la persona que lo lleva como miembro de un determinado grupo. La vestimenta étnica no es estática, está sometida a un proceso de transformación que permite integrar elementos que responden a las actitudes sociales vigentes creadas en torno al cuerpo.

El traje de tehuana conserva su forma actual desde hace 100 años. El huipil, de herencia prehispánica, tiene un corte rectangular que puede derivarse de las posibilidades estructurales que ofrecía el telar de cintura. Actualmente las istmeñas lo usan ceñido y hasta poco más abajo de la cintura; generalmente está confeccionado con telas industriales, la mayoría de fibra sintética, de acuerdo con el gusto y la talla de quien lo llevará, pero respetando, a su vez, determinadas

reglas que dependen de factores sociales. El enredo tejido a
mano prácticamente ha desaparecido de su guardarropa, ya
que empezó a sustituirse hace 140 años por dos prendas que
eran una variación de la moda urbana de entonces.
En su lugar se usan para llevar a cabo los quehaceres
cotidianos, la falda o la rabona. La falda se confecciona de
varios lienzos trapezoidales y cae en forma acampanada
hasta el suelo. La rabona, que también llega hasta el piso,
está hecha generalmente de una tela vaporosa, tipo chifón,
de corte recto y fruncida ligeramente en la cintura; en el
borde inferior cuenta con un holán elaborado en la misma
tela. Para los días de fiesta se lleva la enagua de holán,
confeccionada en terciopelo o en una especie de satín
sintético conocido como "piel de ángel". Consta de tres
lienzos rectos plegados en la cintura; en el borde inferior
lleva, a manera de holán, un encaje blanco plisado de por lo
menos 28 centímetros de largo, que también es casi siempre
de fibra sintética. Los tres tipos de falda poseen en su borde
inferior una circunferencia mínima de tres metros que,
aunada a la calidad de la tela, proporciona a su portadora un
mayor volumen y una gran libertad de movimiento. Debajo
de la falda se usa un refajo blanco con encaje o trabajado
en deshilado. La ornamentación del traje consta generalmente
de motivos florales, ya sea estampados como en la falda y en
la rabona, o bordados a mano como en los huipiles o en la
mayoría de las enaguas de holán. Los ornamentos
geométricos se hacen con ayuda de viejas máquinas de
bordado Singer que datan de principios del siglo XX; las
variaciones de esta clase de diseño también son innumerables.
Todos los huipiles se pueden combinar con cualquier tipo de
falda, independientemente del adorno que tengan; sólo la
enagua de holán bordada a mano exige la combinación exacta
con el huipil adecuado. En todos los casos, la decoración es
multicolor. Cada pieza es única en cuanto a su combinación
tonal y sus ornamentos. Y para complementar el ajuar, las
tehuanas llevan pesadas cadenas de oro de las que penden
grandes monedas, que hacen juego con los aretes. En las
festividades suelen cubrir sus cabezas con el huipil grande,
especie de blusa de encaje, con mangas simuladas y dos orlas
también de encaje que rodean el escote y el borde inferior.
Pero el traje no es nada sin la mujer que lo porta: cuando se
pasea por la plaza de algún poblado de la región o por el

Mantón de seda bordado a mano.
Ca. 1920.
Istmo de Tehuantepec.
Museo de Arte Popular
Ruth D. Lechuga.

Página anterior:
Huipil y enagua de holán
en terciopelo bordados a mano.
Juchitán. 1940.
Lazo de oro y ahogador de fantasía.
Museo Serfín.

Páginas 38-39:
Alfredo Serrano.
Tehuanas. 1960.
Óleo sobre tela. 80 x 100 cm.
Colección particular.

mercado dominado principalmente por istmeñas, la imagen que se ofrece al visitante es magnífica: mujeres caminando erguidas, muchas veces balanceando sobre la cabeza una canasta llena de mercancía. Cada una luce un colorido diferente en el traje que lleva, mismo que resplandece bajo el brillante sol del Istmo para competir con los colores de las flores y de las mercaderías. Otras permanecen sentadas cómodamente mientras ofrecen sus productos a viva voz. Apenas se sabe a dónde dirigir la mirada, lo cierto es que no es posible pasar por alto a ninguna de las mujeres. Su fuerte personalidad se ve reforzada por el traje; en parte, debido a su impresionante colorido, pero también a las formas mismas de los vestidos.

La corpulencia, símbolo de bienestar y salud, no se oculta, sino más bien se acentúa. El huipil lo usan no muy ajustado y las aberturas para los brazos están cerradas casi hasta las axilas, de manera que éstos puedan apenas asomarse por allí. Las amplias faldas, que se funden con la figura femenina, causan la impresión de un volumen corporal mayor y con frecuencia contribuyen a elevar la dignidad de su portadora. Este incremento de la presencia corpórea, afirma Flügel, no sólo es percibido por quien observa, también la observada experimenta una mayor conciencia de su propia existencia. De pie, su silueta que asemeja un gran cono, expresa estabilidad y firmeza. Las caderas siempre llevadas hacia adelante y los pies en cómodos huaraches mantienen a su dueña segura sobre el suelo. No es fácil derribar a una mujer así. Si a esta prestancia se añade movimiento, la impresión de dignidad se enfatiza. Los diferentes tipos de falda no limitan, sino que ofrecen a las activas istmeñas la máxima movilidad. Los volantes y encajes susurran elegantemente sobre el piso, mientras la falda se mece en un vaivén que refuerza la armonía y la dinámica de la mujer que lo lleva. Estas observaciones se aplican tanto al traje cotidiano como a la vestimenta de fiesta. Aunque esta última resalta además otros aspectos. La danza de los tradicionales sones sólo es posible con el traje de gala. Más que una danza en el sentido convencional, se trata de un caminar lento, digno e, incluso, majestuoso. La enagua se toma con ambas manos extendiéndola un poco hacia el frente, es decir, aumentando su vuelo original. A la vista queda el valioso refajo, y la danza se convierte en un atractivo juego de ocultar y descubrir. El accesorio más espectacular es el huipil grande, que dependiendo de la ocasión se puede llevar de dos formas. En actos religiosos se cubre la cabeza con él, de manera que sólo quede visible la cara enmarcada por la apertura del cuello rodeada de encaje. El resto cae sobre hombros y espalda, negando totalmente las formas femeninas; la silueta toma una forma cónica similar a las figuras de santas y vírgenes. Esta impresión cambia por completo después de concluida la ceremonia, pues el huipil grande se "coloca" de tal manera que el encaje del borde inferior del vestido quede como una corona sobre la cabeza, formando ahora un precioso marco para la cara, el peinado y el busto de la portadora, que no niega, sino acentúa los atributos femeninos y estiliza las líneas corporales.

En la sociedad zapoteca es de suma importancia el prestigio derivado no sólo del material elegido para el vestido de fiesta, sino de su confección efectuada por un famoso bordador y de la frecuencia con que se estrene un nuevo traje. No debe sorprendernos que, a pesar de la "globalización" y del ajetreo cotidiano —de los que no queda excluido el Istmo—, cuestiones como éstas y otras tantas más en torno al vestir hayan sobrevivido hasta hoy, pues para las mujeres del Istmo su traje es un instrumento de autorrepresentación que la vestimenta "moderna" no puede ser. Las istmeñas tienen varios rostros: son mujeres atractivas, activas e independientes; son madres, "vírgenes" y reinas. En su vestimenta escenifican cada uno de estos aspectos. El resultado es una "presencia" que no se puede pasar por alto. Como diría Giebeler: "El vestido, la presencia corporal y la personalidad forman aquí un todo cultural, que ha marcado las impresiones de todos los viajeros del Istmo de Tehuantepec, y que los ha motivado a caracterizar esta sociedad como un matriarcado". ✎ *Traducido por Enriqueta Kuhlmann.*

ANNEGRET HESTERBERG es especialista en historia cultural del textil. Impartió esta cátedra en la Universidad de Dortmund, Alemania, institución en la que realiza su doctorado. Para su tesis doctoral lleva a cabo una investigación del traje istmeño. Ha colaborado como investigadora en los museos Franz Mayer y Serfín.

Ruth Lechuga.
Mujeres cubiertas con huipil
grande para ir a misa.
Tehuantepec. 1959.

Huipil grande de encaje con listón
de seda. 1960. Tehuantepec.
Museo Ruth D. Lechuga
de Arte Popular.

Página anterior, arriba derecha:
Luis Hidalgo.
Figura de cera. *Ca.* 1945.
Museo Ruth D. Lechuga de
Arte Popular.

Página anterior, abajo:
Huipil largo en encaje blanco y
rosa y falda de holán bordada en
cadenilla sobre tafetán.
Tehuantepec.
Museo Ruth D. Lechuga
de Arte Popular.

Mi vestido soy yo
Frida Kahlo

LOURDES ANDRADE

El vestido de tehuana se convirtió para Frida en un nuevo cuerpo, en la posibilidad de sentirse deseada como mujer, venerada como una diosa precolombina. Ella, en retribución, lo dio a conocer en todo el mundo.

Roberto Montenegro.
Retrato de Frida Kahlo.
Óleo sobre tela.
80 x 65 cm.
Colección particular.

Página 45:
Fritz Henle. Frida Kahlo. 1951.

Si la relación de Frida Kahlo con su cuerpo no fuera tan compleja, tan ambivalente, no resultaría interesante analizar su manera de ataviarlo. Ese cuerpo herido y torturado, como el de los cristos barrocos, como los de las víctimas de los dioses precolombinos; ese cuerpo lúdico y gozoso, como las sandías que enrojecen sus "naturalezas muertas", como la papaya, cuya ranura abierta es semejante a un sexo femenino, como las tunas que se desangran sobre un plato; ese cuerpo frutal, terrestre, que es su mayor orgullo y su mayor dolor; ese cuerpo es un reflejo al que se aferra obsesivamente.

Es legendaria su manera de autorrepresentarse, vestida de tehuana y, en este sentido, hay que considerar hasta qué punto su vestuario forma parte de sí misma. Su atuendo es ella. No sólo la cubre y oculta, no sólo la muestra y atrae la admiración sobre ella: su vestido le otorga una identidad. Y en esa crónica de sus propios sufrimientos que es su pintura, su vestimenta es un elemento narrativo muy importante.

Por su atuendo folclórico, Frida se identifica con lo popular y lo indígena. Esta voluntad suya de insertarse en "lo mexicano" la representa genérica y étnicamente, la sitúa en el contexto del nacionalismo posrevolucionario. Es su manera de asumirse como intelectual, como simpatizante con los oprimidos y de identificarse con su tradición. Frida crea una obra y un personaje —ella misma— cuyo arraigo queda ratificado por su manera de vestir.

Pero hay algo más: en ella, en la que toda idea se trasmuta en obsesión, el amor por Diego define muchas cosas.

Geografías imaginarias, el excelente ensayo de Aída Sierra, nos refiere cómo, a su regreso de Europa y mediante la influencia de Vasconcelos, el Istmo se convierte para Diego en una versión local del paraíso. Su flora sensual, la languidez de sus mujeres, la riqueza y colorido del paisaje, hacen del "sur" un espacio añorado y exótico que plasma en sus murales de la Secretaría de Educación. Ya casada con Diego, Frida asume el atuendo de tehuana, y éste se convierte en otra forma de atraer a su marido, de acaparar su atención, de intentar retenerlo. El porte altivo de Frida, con su largo cuello, su figura esbelta y su espalda erguida, proyecta la dignidad de las mujeres istmeñas, le da un aura soberbia que define su fuerte personalidad, con atributos autóctonos.

Así, resulta significativo que en 1940, tras divorciarse de Diego, Frida se despoje de su vestido de tehuana y se retrate con un traje de hombre semejante al que usaba en la época posterior a su accidente, y en el que aparece en varias fotografías. En *Autorretrato con el pelo cortado* (1940) no sólo luce vestimenta masculina, sino también el pelo muy corto; sus mechones, regados por el suelo, son un símbolo de que al separarse de Diego se ha desprendido también de su identidad femenina, de esa parte suya susceptible de ser amada por el muralista.

De hecho, este gesto nos hace sentir hasta qué punto su vestido es parte de una personalidad un tanto artificial —o artificiosa— que ella se crea y recrea en sus autorretratos. Ya Octavio Paz había reparado en esto al comparar a este personaje con el de María Izquierdo. Dice Paz: "las ropas [...] de Frida [recubrían] una personalidad compleja y nada popular". Urgando en el carácter de nuestra artista, Paz nos descubre su ambigüedad y nos da, quizá, la clave para interpretar su obsesión con la propia imagen: la máscara que cubre su rostro y el disfraz que envuelve su cuerpo son una desesperada voluntad de ser. El traje típico se convierte en una manera de proteger su intimidad, al tiempo que, constantemente, la exhibe sin pudor. Se crea un personaje, para mejor disimular su propio ser y mantener su esencia equívoca.

Existe otra dimensión posible en la percepción de la identidad de Frida como tehuana.

Frida, representada con su traje típico, se nos aparece con un aura de santidad o de divinidad que tiene su origen en ciertos elementos constantes en la representación. El primero es, desde luego, el vestido. Al desechar un atavío moderno, más actual, por el de las indias zapotecas, Frida se ubica ya en un tiempo que transcurre de otra manera, un tiempo circular, cíclico, más que histórico. Esto contribuye a otorgarle una dimensión diferente a la cotidiana. Desde luego, su vestido la ubica también en "otro" espacio, el paisaje paradisiaco del Istmo, en el que Diego —como tantos otros— viera un lugar perteneciente a la utopía. Se trata de una criatura atemporal, proveniente de un sitio más legendario que geográfico. Pero aun en este ámbito supraterrenal, Frida no se nos muestra como un ser banal. Asume las dimensiones de una diosa, de una virgen, y esta esencia sobrenatural se define también por su manera de acicalarse. El traje es ya de por sí vistoso, majestuoso, imponente. En ocasiones, se acentúa su importancia cuando lo acompaña del típico tocado de tehuana. En *Autorretrato como tehuana* (1943), la blonda que rodea su cara le otorga una apariencia esplendorosa. Es como un astro, como una corola en medio de la cual se abre el núcleo del rostro. Además, tiene flores en el pelo y de ellas, como del tocado, parten multitud de "raíces", cual efigie de una resplandeciente diosa de la vegetación. Aunque los ejemplos podrían multiplicarse, me gustaría compararla específicamente con dos figuras del arte precolombino que ostentan características similares. Una es la cabeza de serpiente emplumada que se repite rítmicamente en todos los lados y niveles de la pirámide de Tláloc y Quetzalcóatl, en Teotihuacán. La otra, es la faz del quinto sol, al centro del círculo del llamado calendario azteca. Esta idea de un rostro enmarcado por un elemento, que hace resaltar su belleza, su poder, o su prestigio, da al visaje de Frida la dimensión de una deidad arcaica.

Por otro lado, tenemos la serie de fotografías que le hiciera el fotógrafo Fritz Henle, en 1936. En varias de ellas aparece con un rebozo sobre la cabeza. Algunas hacen pensar claramente en una virgen, en la Guadalupana. Así, no sólo se identifica con su pueblo, sino que ella, la infértil, se equipara con su mítica "madre". En los casos en los que se nos muestra con la cabeza descubierta, su cabello aparece trenzado con listones de colores, recogido en altos chongos, a veces muy elaborados.

Un elemento más que contribuye a resaltar su imagen sobrehumana son sus joyas. Es cierto que las tehuanas se distinguen por sus ricas alhajas de oro. Las de Frida evocan el mundo prehispánico, tanto las auténticas como las espléndidas imitaciones. Los dioses suelen portar oro como símbolo de su grandeza. Lo mismo hace Frida en *Autorretrato con mono* (1938), en *Autorretrato con trenza* (1941), o bien en múltiples fotografías que se conservan de ella, como la tomada por Imogen Cunningham en 1931. Por cierto, aún es posible admirar algunos de sus collares y aretes en el Museo Frida Kahlo, en Coyoacán.

Todo esto, aunado a la expresión grave de su rostro, a sus rasgos, fuertemente marcados, le otorgan un aire de hieratismo, acentúan su altivez y le dan la apariencia de una diosa prehispánica, orgullosa y distante, inserta muchas veces en un contexto natural, exuberante, "tropical", exótico.

Cada elemento contribuye a construir su imagen, abre una vía de identidad entre ella y un universo mitológico, y que se puede reconocer en el mundo mexicano: este universo es el panteón precolombino.

La mirada del "otro" consolida la identidad teogónica de Frida. El texto que André Breton le consagra en 1939 da fe de su dimensión legendaria y mítica.

Las palabras con las que Breton abre su "Recuerdo de México": "tierra roja, tierra virgen, regada por la más generosa sangre", resultan, en cierta forma, complementarias a aquellas con las que se inicia su texto sobre la artista: "donde se abre el corazón del mundo". En ambos casos se alude al "inmenso cuerpo" en el que se diluye la esencia de la tierra mexicana y el organismo de la mujer. Más adelante la presenta, evocando su naturaleza telúrica y su dimensión deífica: "… [de] esa tierra roja de la que brotaron, idealmente maquilladas, las figurillas de Colima, que son mitad mujer y mitad cigarra, […] por fin, [surgió] parecida a ellas por el porte y engalanada como una princesa

de leyenda, con hechizo en la punta de los dedos, en una flecha de luz del pájaro quetzal que, al volar deja ópalos en los flancos de las piedras, Frida Kahlo de Rivera". De este modo se le aparece nuestra pintora, como una reina, como una diosa, y parte del impacto que produce en él, proviene de la forma en que se acicala. Breton la describe "con vestido de alas doradas de mariposa", y le confiere las características de "crueldad y humor sólo capaz de enlazar las raras potencias afectivas que se conjugan para conformar el filtro cuyo secreto tiene México". Así, Breton concede a Frida la magia del propio país, y la sitúa en un espacio entre la realidad y el sueño, el espacio del surrealismo.

Si bien Diego hizo una leyenda de sí mismo y logró insertarse —por méritos propios— en el mito revolucionario, Frida construyó para sí también un ser fabuloso, medio mujer-planta, medio volcán, medio insecto, que desempeñó su papel, vestida de flores, cual una diosa de la fertilidad, ella que en el plano biológico era infértil.

Sin embargo, a pesar de lo interesante y atractivo que pueda encerrar la construcción de este personaje, posee también aspectos por demás inquietantes. El culto que ella propició para su persona y para su obra, ha sido asumido con tintes fanáticos por ciertos círculos académicos, específicamente por una buena parte de la intelectualidad feminista norteamericana. Este fervor no es ajeno a la actitud de la propia Frida, quien vivía rodeada de los iconos de sus ídolos: Marx, Mao, Stalin, a los que veneraba con la misma ausencia de capacidad crítica. Al enfrentar los escritos de algunas estudiosas del arte sobre Frida, se percibe la turbia reverencia con la que se le distingue y uno se pregunta, ¿qué celebran en Frida?, ¿sus sufrimientos o su manera mórbida e impúdica de exhibirlos?, ¿su amor por Diego, o la dimensión pantagruélica de su masoquismo en la manera de asumir dicho sentimiento? Y a pesar de reconocer su gran talento y lucidez, la calidad indudable de su pintura, y el valor de que dio muestra al asumir su dolor, resulta inquietante que se le tome como paradigma. Tanto más cuando que su insistencia en su desventura suele restar interés a su trabajo. En este sentido coincido con el agudo comentario de Octavio Paz: "a veces, debo confesarlo, ese *pathos* me abruma: me conmueve, pero no me seduce. Siento que estoy ante una queja, no ante una obra de arte".

Es curioso cómo ciertos elementos que no tienen nada que ver con el talento, juegan en favor o en contra de la obra. En el caso de Frida, sus problemas físicos lo hacen, en mi opinión, en ambos sentidos. Lo relevante para esta reflexión es la importancia particular que adquiere en su pintura, el vestido de tehuana, al cubrir su organismo herido y desplegar sobre él una multiplicidad de significaciones.

LOURDES ANDRADE es maestra en historia y teoría del arte por la Universidad de Kent. Lleva más de 15 años dedicada al estudio del surrealismo en su relación con México. Ha publicado *Remedios Varo, las metamorfosis*; *Alice Rahon, la magia de la mirada* y, en Artes de México, en su colección Libros de la Espiral, *Arquitectura vegetal*. Es investigadora del CENIDIAP.

La Llorona

Sé que te vas a casar, ¡ay Llorona!
anda con Dios, bien mío,
por el tiempo que andé [*sic*] ausente,
¡ay Llorona!
No bebas agua del río
ni dejes amor pendiente, ¡ay Llorona!
como dejaste al mío.

¡Ay Llorona, Llorona!
Llorona llévame al mar
a ver si llorando puedo, ¡ay Llorona!
mi corazón descansar.

Huipil en piel de ángel y falda de holán en muselina bordados en cadenilla.
Huaves de San Dionisio del Mar. Museo Ruth D. Lechuga de Arte Popular.

De las arcas de la fuente, ¡ay Llorona!
corre agua sin cesar;
al compás de su corriente, ¡ay Llorona!
mi amor empezó a nadar,
triste quejaba [*sic*] y ausente, ¡ay Llorona!
sin poderlo remediar.

¡Ay de mí, Llorona!
Llorona de cuando en cuando,
sólo que la mar se seque, ¡ay Llorona!
no seguiremos bañando.

De las arcas de la fuente, ¡ay Llorona!
corre el agua y nace la flor;
si preguntan quién canta, ¡ay Llorona!
les dices que un desertor
que viene de la campaña, ¡ay Llorona!
en busca de su amor.

¡Ay de mi Llorona!
Llorona que sí, que no;
la luz que me alumbraba, ¡ay Llorona!
en tinieblas me dejó.

AGUSTÍN YÁÑEZ

Espejismo de
Juchitán

Sin la ayuda de una cámara

fotográfica, el autor fijó para

siempre estos retratos, estas

instantáneas compuestas de

un fluir de palabras que van

dejando ver los distintos

rostros de la gente del Istmo.

Bernice Kolko.
Vendedora de canastas. Juchitán.
1954. Colección Fundación
Zúñiga-Laborde A.C.

Bernice Kolko.
Boda. Juchitán. 1954.
Colección Fundación
Zúñiga-Laborde A.C.

Página siguiente:
Bernice Kolko.
Muchacha linda. Juchitán. 1954.
Colección Fundación
Zúñiga-Laborde A.C.

Páginas 52 y 53:
Óscar Necoechea. Sin título. 1995.

LA NOVIA. Baila la novia el rito de Zandunga y en el baile yergue su alma. El alma de Zandunga es alma de novia. Ya no es la marimba, ya no. Ahora es el viento que roza metales y escapa por las ventanas de las flautas, al son del tambor: la música se tiende para el baile como tapiz de raso, color de oro viejo; aire dorado que viene a la boda, desde la casa del tiempo eterno en las sagradas entrañas de la raza. Oye la novia el aire y sale al encuentro del varón ancestral. El alma de la novia es cándida, serena y delicada. Leve sonrisa inmóvil —de resignación y esperanza— brilla en el rostro de la novia. Gira sorpresas el varón —concéntricas— y, ensimismada, gira defensas la paloma, de frente siempre al gavilán. Baila la novia lánguida, con paso de cautela, hierática, moviendo lentamente los pliegues del fastuoso huipil. Retroceden los círculos de acecho. Luz de ironía relampaguea en la risa de la novia. Baila la aristocracia de los brazos desnudos; alzando suavemente el holán de la falda, fiesta de espumas, en vaivén a los lados, hacia adelante. Vuelve el varón contra la playa. Bajan las ondas del encaje; retrocede la doncella impoluta, con blandos pasos insensibles. El gavilán complica el vuelo, en frenesí. Apenas bailan los brazos y los pliegues de Zandunga, invicto el torreón de la castidad, erguida la cabeza, macizo el recio tronco florido. Encorva el varón la testuz, al peso del deseo, como toro en acecho. La pleamar nueva vez, y el asedio. Brincan cóleras los pasos desesperados del varón, oscilan sus brazos sueltos, flojos; desfallece la carne; vuela el espíritu en lenta evasión provocativa. El alma de Zandunga es alma de novia: inaccesible al deshonor, florece.

EL NOVIO. Ampolla de sangre filosa, circular, saltarina como zanate o como azogue. Pelo crespo y lengua de daga.

NANCY. Nancy es ojos y sonrisa. Cuando se le habla, contestan los ojos y la sonrisa. Enigmas son los ojos y la sonrisa de esta niña de diez años. En ella florecen los enigmas, las virtudes y las malicias de su raza enigmática. Sabe lengua de cristianos, pero jamás la emplea. Con las mujeres de su casa habla en el idioma de su pueblo. Para los extraños le bastan los ojos y la sonrisa. En la boca y en los ojos de Nancy, el destino ha dibujado claras estrellas.

HORTENSIA. Hortensia es solícita y eficaz. Silenciosa. Hortensia es doncella de grandes ojos verdes y fresca piel rosada. Hortensia va y viene, desnudos los pies y la boca; va y viene por la casa, por el patio, por la cocina, por el mercado, con los pies desnudos y la riqueza de sus variados huipiles. No habla, no pregunta: es adivina; cuando su huésped piensa en un manjar, ella lo ha traído a la mesa; cuando se quiere el refrigerio del baño, ello lo tiene ya dispuesto; si el huésped le dirige la palabra, Hortensia no se da por aludida; si el huésped insiste, la respuesta es breve, satisfactoria; aun cuando calle y desoiga en apariencia, el huésped recibirá inmediato contentamiento. Pronto no habréis menester de la palabra, porque —bien vistos— los ojos de Hortensia poseen una sorprendente fuerza de expresión. Parece ajena a toda circunstancia, pero en sus gestos y en su leve sonrisa —dulce o irónica— se reflejan los detalles sutiles del mundo y de la gente que la rodea. La dulzura o la ironía de sus silencios denuncian sus afectos y diferencias. Hállase presente —con aire de ausencia— en lo mínimo y en lo grave; cuando compra en el mercado y cuando borda telas preciosas, cuando atiza la lumbre y cuando sirve la mesa, cuando plancha los encajes de sus huipiles y cuando enjoyada se dirige a las fiestas.

En aquellos días fue a las velas; a la vela grande y a la vela chiquita, en el entoldado de la plaza central; a la vela Biadzi y a la de Che-gui-go. Bailaban sus ojos prudentes y maliciosos; bailaban sus rápidas palabras zapotecas, de vez en vez, para confiar a sus hermanas alguna observación; pero no se levantó de su asiento cuando los varones la demandaban. Fulgían sus ojos entre el esplendor de los espejos y las cortinas de papel morado y verde, lila, dorado y plata: ornato de las velas. Sonreía desdeñosa como una princesa del tiempo antiguo, cuando los dioses moraban con los hombres. A la otra mañana volvería, descalza, solemne, a los humildes menesteres: el acarreo del agua, el mercado, la cocina…

HONORATO. Por veneros subterráneos de conciencia, los hombres que trabajan con Honorato surten la viva etopeya de este varón, a quien llaman familiarmente "don Honor". El apócope retrata de perfil y de frente, de busto y de cuerpo entero, al joven patriarca. Sobrio y enérgico, vigoroso, gentil, discreto, distante, cercano, capaz, oportuno, elocuente sin palabras: ¿de qué otra manera puede ser el honor? Por eso los hombres de Juchitán respetan y siguen a Honorato, reservado sin misterios; decisivo por la energía de sus resoluciones.

FLÉRIDA. Flérida es vendedora de fruta en el mercado de

Juchitán. Muy de mañana llega y dispone el primor de un puesto. Flérida y el puesto de Flérida son una de las siete maravillas de Juchitán. Es de ver y gozar los vuelos de su mano prestidigitando la fruta, para limpiarla y tenderla: morosos vuelos que surgen de *jicalpextles* y redes grávidas, logran la altura del corazón y declinan suavemente hasta el aeródromo del petatillo, donde Flérida —con tiento y justicia— recluta los quintos de chicos, de mangos, de capulines, de nances, de ciruelas, de plátanos, de naranjas, de limas, de limones… y los tercios de piña, guanábana, papaya, sandía, melón, chirimoya… Es de ver y gozar la ternura de Flérida cuando lleva los frutos a su regazo, les quita polvo, pelusa y almíbar —como madre que limpia el rostro de sus infantes camino de la escuela—, y con cuidado los coloca en montoncitos —como niña que juega, abstraída, levantando castillos para sus sueños, castillos en las arenas móviles y calientes del apetito popular, apetito cuya vista, cuyo olor, cuyo gusto y cuyo tacto derrumban las deleitosas fortalezas. Luz de alegre resignación cubre la cara de Flérida —madre en boda, parto, viaje o entierro de hijas amadas— cuando los compradores van llevándose los escogidos frutos. Los escogidos frutos: amor de entraña virgen. Es de ver la gracia y recato con que la núbil vendedora enciende y despacha el apetito de la gente, cómo canta palabras de magia, pregones hechiceros, ademanes de recatada seducción. Decoro y gracia para coger y cambiar monedas. Belleza y recato para agradecer la compra e invitar —con leve sonrisa de bondad— la reincidencia del comprador. Cuando concluye la fiesta de frutas, palabras, ademanes y sonrisas, cuando acaba la cuenta sonante de las monedas, Flérida organiza la danza del regreso. Media el día. Flérida no descansará sobre la hamaca de la tarde. Huerta y establo hay en su casa. La doncella dará de beber a los árboles y a las reses; cortará frutos y flores; ordeñará; musitando canciones, a la hora del crepúsculo, bordará huipiles propios y ajenos, tejerá redes y hamacas para vender, leerá alguna novela. Periódicamente irá con los orfebres o con los gachupines a cambiar billetes y plata por collares y monedas de oro. Algún día, entre cohetes, Flérida será raptada y depositada en casa de los suegros; la mañana de su boda lucirá las joyas adquiridas en muchos años de trabajo; vendrán los tiempos malos, las malas cosechas; el marido estará enfermo o sin quehacer; entonces, Flérida cambiará sus collares y sus monedas de oro por plata o billetes, risueña, generosa, llena de gracia. Ésta es Flérida, vendedora de fruta en el mercado de Juchitán.

LEDA. Si por los enigmas que propone su sonrisa, Hortensia debió llamarse Gioconda; si por la luz de su cara y el ágil vuelo de sus manos, Flérida es la Gracia, por el brillo del espíritu en sus acciones, Leda es la Piedad y debía llamarse Antígona o Cordelia. Sirve de lazarillo a su padre ciego. También es madre de sus hermanos, consolación de pobres, merced para los enfermos y enterradora de difuntos insolventes.

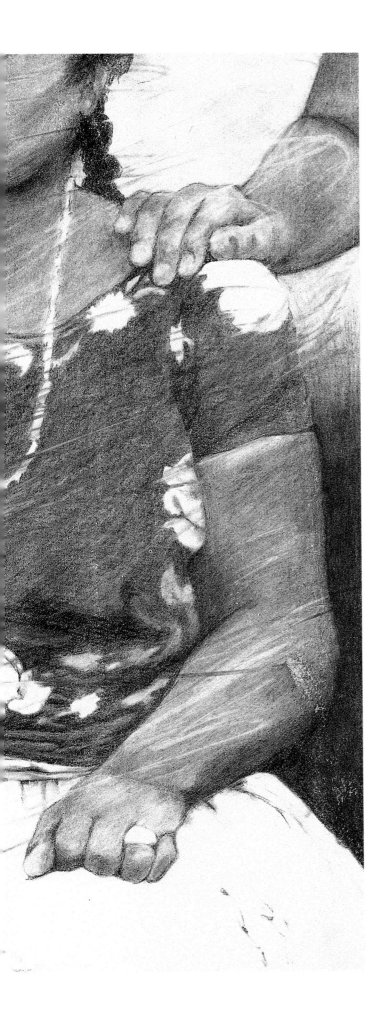

Los domingos vende agua helada en la plaza y los menesterosos refrigeran allí su sed, sin pagar. Los viejos tristes, las muchachas engañadas y las viudas buscan a Leda para platicar, y ella los hace sonreír. Está presente en toda aflicción. Cuando es necesaria o útil, concurre a la alegría de sus vecinos. ¿Quién mejor que Leda, en todo el pueblo, sabe asistir a los moribundos y cumplir los ritos cristianos y las tradiciones aborígenes en el momento de la muerte? Sabe plañir como nadie. Cuando es preciso, sabe bailar como nadie la Zandunga y el Torito. Muchos años fue la capitana de las fiestas de san Vicente. Debió ser una doncella garbosa. Hoy, aún gasta en las fiestas de mayo sus ahorros de doce diligentes meses y luce huipil nuevo. El otoño ha enjutado el rostro de Leda, pero concentró fulgores en los ojos misericordiosos. Las calles se pueblan de saludos alborozados y de silencios devotos cuando Leda las atraviesa conduciendo al padre ciego. El padre de Leda es tañedor de flauta, y en él perviven las fuerzas de la teogonía veneranda, los demonios tutelares de la estirpe indígena, aunque vayan faltando a su cuerpo las fuerzas de la tierra; como sabe tonadas más antiguas, las leyendas augustas, los misterios y las palabras de conjuro, el ciego es llamado a todas partes y su hija lo acompaña; cuando el padre tañe la flauta de carrizo, Leda toca la concha de armadillo; cuando el músico agorero presagia lo funesto, Leda embalsama la zozobra supersticiosa. ¡Qué sería del pueblo si junto al terrible oráculo no tuviese la suma bondad! Hubo tiempo en que los más recios varones de la comarca se disputaron el matrimonio con Leda. Uno vino de Tehuantepec, lleno de riquezas, y la doncella lo rechazó por la traición ancestral —religiosa y política— de los tehuanos para los juchitecos. Un letrado criollo, un judío enredador y sugestivo, un monopolista de las salinas, criadores de reses, amansadores de caballos, horticultores, en vano bailaron alrededor de Leda. Cuando la gente vio que la doncella paseaba con un mancebo e iban sus dedos meñiques atados voluntariamente, y nadie los separaba en las velas, dijeron —y era cierto— que la zandunguera se había enamorado; el galán no era rico, pero era joven, fuerte, trabajador, alegre, bueno y rebosaba pura sangre de Juchitán; entonces murió la última mujer del viejo tañedor, y éste perdió la vista; nadie vio más a Leda entregada a juegos de amor; pero fue más risueña y comunicativa; trabajó con doble diligencia; inventó dulces arrullos para sus medios hermanos pequeñitos; constituyóse bordón y acompañante del flautista; fue la primera en llevar a los lutos el pañuelo anudado con la ofrenda, y en servir las faenas tradicionales, como esclava. Dejaron de envidiarla doncellas y viudas. El pueblo la consagró diosa de la misericordia. Por eso, cuando pasa, guiando al vidente de los arcanos, las calles se pueblan con saludos devotos y con silencios religiosos.

ZENÓN. Zenón fue rico. Llevó los frutos y el renombre de Juchitán a luengas tierras. Venció a muchos extranjeros su

Bernice Kolko.
Vendedora de pescado.
Juchitán. 1954.
Colección Fundación
Zúñiga-Laborde A.C.

Página siguiente:
Beatriz Hohenlohe Iturbe.
Sin título. 1999.
De la serie *México, el pueblo
y sus colores.*

Páginas 56 y 57:
Carla Rippey.
La mamá de mi mamá. 1984.
Lápiz sobre papel.
31.5 x 24.5 cm.
Instituto de Artes Gráficas
de Oaxaca.

Páginas 60 y 61:
Graciela Iturbide. *Chismosas.*
Juchitán. 1986.

sagacidad de comerciante y su lengua ingeniosa. Trajo muy lindos efectos que fueron asombro de la gente. El pueblo le rodeaba para oír el relato de sus aventuras en mundos fantásticos. Tenía grandes huertos y mucho ganado. De todo, sólo tiene ya un jacal desvencijado, una carreta y dos bueyes para trabajo ajeno, un sombrero de a 24 y lengua ingeniosa. Como entonces, ahora todavía vence a los jóvenes en bailar *Zandunga*, sin reposo; en cantar *La Llorona* y los sones viejos con el sentimiento original de los patriarcas; en cargar fardos y servir a los amigos; en cumplir la palabra; en organizar velas y desfiles; en divertir multitudes; en hacer reír a las mujeres; en pasear a los niños, en beber comiteco sin rendirse. ¿Quién puede igualar su figura cuando saca, en las fiestas, el sombrero de lana, guinda, con guarnición de hilos de oro, paramento de los más rancios y mejores varones de Juchitán? ¡Aquellos sombreros chicos, de copa, que valían 24 duros, de los de veras de purita plata! ¡Estos sombreros que nadie puede comprar en parte alguna y que, de generación en generación, significan primogenitura! Como los viejos juchitecos, el sombrero galoneado, de a 24, es lo que Zenón estima sobre todas las cosas. Ni la muchacha más linda logra polarizar atenciones, en la plaza y en las fiestas, como cuando Zenón dispara el gracejo de sus chistes y relatos, o canta *La Llorona* introduciendo punzantes alusiones, glosa del vivir pueblerino. La posición del sombrero y el hipo lloroso de la voz indican con fidelidad la creciente de la borrachera. No hay día en que Zenón deje de embriagarse. En las fiestas lo hace solemnemente, al compás del sombrero que se ladea. Pero jamás abandona el campo —y a honor lo tiene—, hasta que viejos y jóvenes caen rendidos; tampoco pierde nunca el rumbo de su jacal, ni necesita cargadores. Bien saben los insomnes a qué hora ganó Zenón: gritos y cantos desaforados marcan su camino. Temprano, a la mañana siguiente, uncirá los bueyes a la carreta, cumplirá sus compromisos, irá y volverá, sin descanso, hasta que, ganado el jornal, pueda comenzar la alegría. ¡Glorioso Zenón de Juchitán, príncipe de la vida, señor del vino, abdicante de vanas pompas, héroe de faunalias, dueño y domador de tristezas, indulgente, milagroso en la diaria resurrección de tu optimismo, ejemplar en la pujanza de tu gallardía, en la vena inagotable de tu ingenio, glorioso Zenón de Juchitán!
MIREYA. Mireya va a la iglesia, enmarcado el óvalo perfecto de su cara por las blondas del huipil alto: serafín entre nubes. Mireya surge de los encajes del holán, cuando baila: Venus naciente, sobre el seno del mar. Ángel, diosa y estrella. Blandas líneas curvas de las mejillas, glorificadas en la clausura nítida. Prodigio del cuerpo. Fuego de los ojos. Encajes de Venecia, ningunos como los de Mireya. Encajes de Mireya, pasmo de Juchitán. 🐚

AGUSTÍN YÁÑEZ (1904-1980) Abogado y escritor mexicano. Ocupó numerosos cargos públicos y académicos; fue gobernador del estado de Jalisco, miembro de la Academia Mexicana de la Lengua y de El Colegio Nacional. Publicó entre otros títulos: *Genio y figuras de Guadalajara, Al filo del agua, Fray Bartolomé de las Casas.* Este texto fue tomado de *Artes de México,* "Oaxaca", números 70-71, 1960.

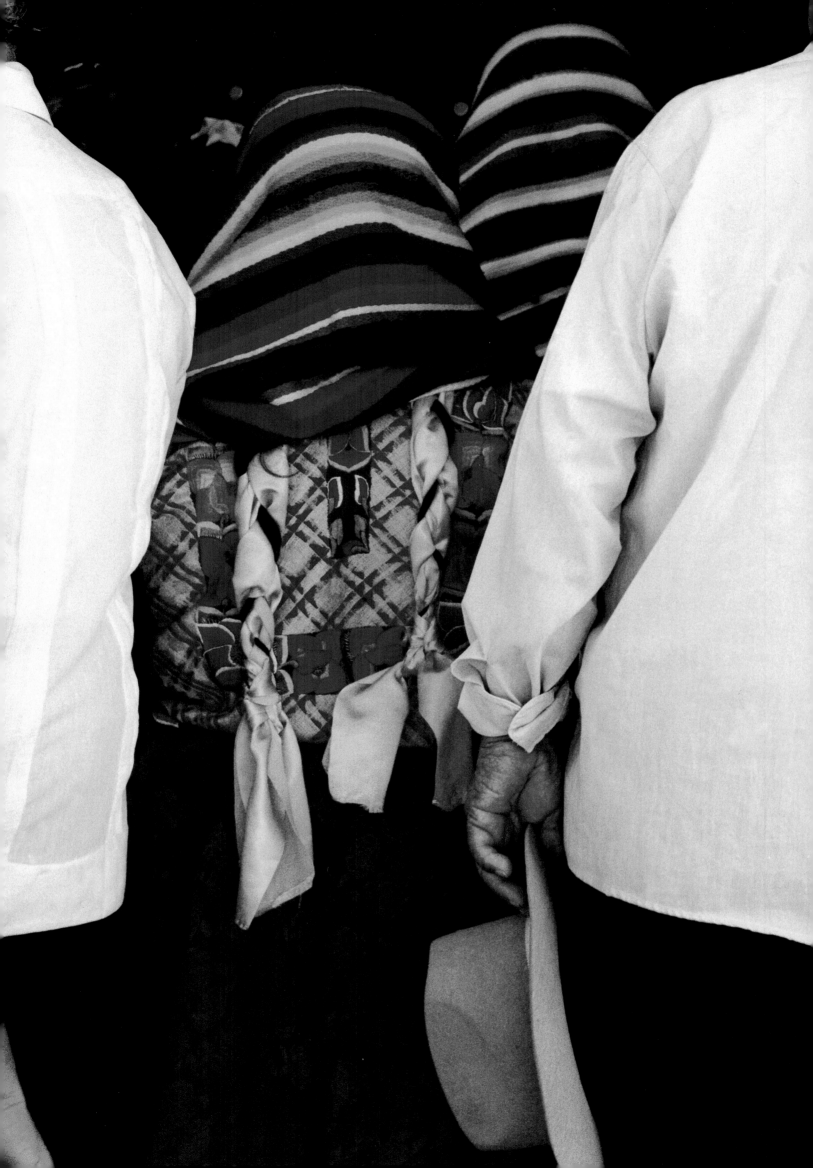

PRESENCIA AVASALLADORA

Despertar en Tehuantepec

ALBERTO RUY SÁNCHEZ

Una crónica y a la vez un cuento donde lo posible y lo real se mezclan como en un sueño.
El tiempo excepcional y alegre de la fiesta se abre para albergar el tiempo secreto y trágico de una comunidad exigiendo justicia.

Luis Lupone.
Mujer huave de San Mateo del Mar. 1985.

Nahum B. Zenil.
Señora y peces. 1985.
Mixta sobre papel. 66 x 51 cm.
Colección particular.

Página siguiente:
Anónimo.
Mujeres con canastas. *Ca.* 1950.
Colección Ofelia Murrieta.

Página 62:
Lola Álvarez Bravo.
La visitación.
Plata sobre gelatina.
Instituto de Artes Gráficas de Oaxaca.

U

na voz ronca y pausada me despertó lentamente. Al principio no supe lo que decía. El timbre de esa voz profunda como un agujero agitaba mis sueños, los devoraba, se mezclaba con ellos y los hacía desaparecer en la confusión de su torbellino. Poco a poco me fui dando cuenta de que venía del pasillo al que daba mi ventana. Una especie de largo balcón sobre un patio al que abrían todos los cuartos del Hotel Oasis. El calor llegaba hasta mi rostro en bocanadas, como si cada vez que alguien caminaba en el patio empujara hacia nosotros un aire espeso, la puerta de un horno abriéndose de frente. La voz se dirigía a otro hombre que escuchaba casi en silencio, inmerso en aquella historia, como yo mismo comenzaba de pronto a estarlo sin que me vieran:

"Los colgaron de los pies en el árbol grande de la plaza. En el que todo el año se llena de flores blancas perfumadas. Como tanta gente los había golpeado, al colgarlos la sangre manchó todas las flores. Desde lejos parecía que una familia de jaguares se había trepado al árbol y estaba esperando para comerse a los bandidos. Pero ya estaban más muertos que vivos, aunque todavía pegaban uno que otro grito de dolor desde algún rincón del infierno. Entonces los castraron y les prendieron fuego. Medio árbol ardió todo el día y parte de la noche llevándose todas las flores con las llamas. El olor se quedó pegado en el aire varios meses y todos lo traíamos encima por más que nos bañáramos. Olíamos a basura quemada, pero más fuerte. De pronto se mezclaban el olor de las flores y de la savia dulce del árbol. Era algo que daba mucho asco, pero que luego a ratos gustaba".

Cuando pude levantarme y abrir la persiana no había nadie en el pasillo. Magui despertó entonces y le pregunté si había oído esa historia.

—Soñaste, afirmó sonriendo.

Y yo seriamente lo dudé recordando que varias veces antes había mezclado despertares y sueños.

Habíamos llegado de noche a Tehuantepec, muy tarde y muy cansados del viaje por un camino árido, largo y sinuoso. Durante varias horas la carretera se escurría entre las colinas como una serpiente negra entre tierra de colores ocres y rocas amarillas.

Ese día, por la noche, se celebra una de las fiestas más esperadas en Tehuantepec: una vela. Y los dos hoteles del lugar están llenos. Encontramos disponibles un par de cuartos en el

Tanguyú, figura de tierra.
Tehuantepec.
Museo Ruth D. Lechuga de Arte
Popular.
Estas piezas solían hacerse en año
nuevo para regalarlas a los niños.
Actualmente se elaboran para fies-
tas de todo tipo.

Gabriel Fernández Ledesma.
Pre-natal. 1945.
Óleo sobre tela. 92.5 x 114 cm.
Colección particular.

Hotel Oasis porque es de la familia de una amiga de nuestra compañera de viaje, Margarita Dalton, directora del Instituto de Cultura del estado de Oaxaca. Su amiga es directora de la Casa de la Cultura de Tehuantepec.

Magui y Margarita irán más tarde con ella para que les preste vestidos tradicionales de tehuanas, porque ninguna mujer puede entrar a la vela si no lleva el traje típico: enaguas largas enredadas varias veces sobre fondos gruesos con una banda ancha de encaje hasta casi tocar el suelo y huipil corto, lleno de grandes flores bordadas, como la falda. Sobre la cabeza, y cayendo sobre los hombros y la espalda, llevan un encaje blanco cerrado como una blusa que se llama huipil largo. En misa lo llevan de una manera que enmarca la cara completamente, como un aura blanca; y en la calle de otra manera, más abierta. Es el traje con el que aparece tantas veces Frida Kahlo en las fotografías, tras adoptarlo como uniforme de su personaje público. En las décadas de 1930 y 1940, la tehuana era el símbolo de una visión romántica de México. El mito de una sociedad matriarcal alimentaba ese símbolo. Serguéi Eisenstein así lo creyó en 1932 y uno de los capítulos de *¡Que viva México!* estaba dedicado a las tehuanas. Se llamaba como la canción típica de las bodas: Zandunga. Muestra a la mujer semidesnuda durmiendo en la hamaca, mientras el hombre hace el trabajo de la casa y del campo.

De hecho, tehuanas y juchitecas exhiben una personalidad marcadamente desenvuelta. Su gestualidad es más segura y

Tanguyús.
Tehuantepec y Juchitán.
Museo Ruth D. Lechuga de Arte Popular.

María Izquierdo.
Retrato de Cibeles Henestrosa.
1943.
Óleo sobre tela. 60 x 50 cm.
Colección Alfa y Andrés Henestrosa.

su relación con los hombres más activa. Desde el cortejo amoroso la tehuana mira y toca, dice lo que quiere. Además, la belleza de las mujeres del Istmo de Tehuantepec es una de sus certezas.

Tradicionalmente ellas se dedican al comercio y los hombres a las labores del campo. Ellas manejan el dinero y con él la vida hogareña y la de la comunidad. Una mujer legendaria, doña Juana Cata (Juana Catarina Romero) es la heroína de la identidad istmeña. Hace casi un siglo era una especie de cacique tutelar de la región. Su casa, junto a la vía del tren y al lado del mercado, residencia enfáticamente capitalina en un entorno de pequeña ciudad rural, se levanta única como símbolo de su poder económico y político. Su vínculo amoroso con Porfirio Díaz ha opacado, fuera de la ciudad, su papel de promotora y líder de su entorno. La gente dice que ella, al frente de los festejos, fijó las reglas del vestido tradicional, el tocado y las joyas que debían usarse: un collar de monedas de oro con aretes peculiares, listones y trenzas entretejidos formando un semicírculo sobre la cabeza. Las joyas se compran o se rentan para las fiestas en un puesto especial del mercado, entre las sandalias y las canastas. Muerta hace varias generaciones, doña Juana Cata está presente en todas las fiestas en la severa observancia de sus reglas.

Amanece temprano en Tehuantepec. Mientras los demás despiertan, Magui y yo salimos a explorar las calles para ver cómo la gente va tejiendo aquí el comienzo de su día. Cuando dejamos nuestro cuarto, nos damos cuenta de que está cubierto de suelo a techo con azulejos, incluyendo cama y repisas.

Da la impresión de que lo lavan lanzando agua con una manguera. Sólo tienen que quitar el colchón y las sábanas. Es fresco y puede que sea higiénico. Aunque con el calor tremendo que hace aquí, en noches de amor muy agitado el sudor seguramente se condensa en el techo gota a gota. Por lo pronto amanece y ya el calor húmedo entró en todas partes. El mar está muy cerca, pero no lo suficiente como para que se vea desde donde estamos. Pero viene en el aire con las oleadas de calor.

Estamos a una calle del mercado y de la plaza central, llena de árboles. Instintivamente busco alguno quemado y encuentro uno inmenso al que le falta una parte. ¿Será el de la historia que escuché en la confusión de mis sueños? La plaza está llena de flores. El mercado la rodea por dos lados y la presidencia municipal por un tercero. Parece estar en ruinas reconstruidas; hay muros a medias y nada rodea ya al inmenso patio trasero donde se llevará a cabo la fiesta. Más tarde en el día lo cerrarán con una cerca de alambre.

Caminando hacia el mercado vemos ir y venir a las mujeres con sus cestas de la compra. Llevan casi siempre el pelo suelto y caminan altivas. Una de ellas pasa frente a nosotros como un ser mitológico: sobre una nube en movimiento. Va de pie e inmóvil sobre la parte trasera de una pequeña motocicleta de carga. Es como un carroza romana sin caballos donde esa mujer se sostiene con una mano, orgullosa, de cara al viento.

De pronto aparece entre un ramillete de gente caminando otra carroza y luego otra. Descubrimos que son taxis de tres ruedas que las mujeres alquilan al salir del mercado. En algunos

Juan Soriano.
Retrato de Alfa Henestrosa. 1949.
Óleo sobre tela. 65 x 46 cm.
Colección Alfa y Andrés
Henestrosa.

Página siguiente:
Mariana Yampolsky.
Sin título. 1989.

van dos pasajeras con sus canastas a los pies. Un enjambre de carrozas aparece en la esquina. Van y vienen flotando en el aire sin moverse. Los conductores casi no se ven porque están al frente, dentro de pequeñas cabinas. Ningún automóvil parece disputar la calle a las tehuanas voladoras o caminantes. Su presencia es imponente, extraña e hipnótica.

Llegamos hasta un puesto de jugos en una orilla del mercado, frente a la plaza: una barra y cinco bancos altos. Con calma nos sentamos a esperar lo que pedimos: uno de guayaba, otro de piña con mango. Se oye claramente el ruido de las carrozas. Pero al fondo, muy lejos, se distingue también otro sonido, como si una orquesta de aliento, en un radio lejano, se oyera con distorsiones. Después de observarnos elucubrar en falso, el dueño del puesto nos explica: ese ruido viene de la carretera Panamericana, una sola carretera que viene desde Sudamérica cruza Centroamérica y une al Norte con todo el subcontinente, pasa al lado de Tehuantepec. Son las bocinas de los grandes camiones cargueros.

—¿Qué siempre tocan cuándo pasan por aquí?

El vendedor de jugos se ríe de mí antes de responder lentamente.

—No, justamente tocan porque no pueden pasar. Está bloqueada la carretera...

Iba a decirnos algo más cuando entró a la plaza un camión de soldados. Llegó hasta la orilla del mercado, descendieron haciendo un ruido tremendo con las botas y entraron. Otro camión llegó al instante haciendo lo mismo.

—¿Qué pasa allá adentro?

—Pues nada, lo de siempre en estos casos, que van a lincharlos.

—¿A quiénes?

—A los ladrones. Y con ellos a los tres policías del municipio que trataron de quitárselos para dizque llevarlos a la cárcel. Seguramente para soltarlos con una pequeña o gran mordida como pago. Por lo pronto ya se llevaron una buena golpiza. Aquí la gente pide y se hace justicia cuando la policía le falla. Los taxistas están bloqueando las calles de entrada al pueblo y cerraron la Panamericana. Y el colmo es que los soldados vienen a proteger a los ladrones. Qué vergüenza. Todo está de cabeza.

Un tumulto brotó de las entrañas del mercado. Las mujeres golpeaban a los soldados con todo lo que tenían a la mano.

Los policías, con los uniformes destrozados, se cubrían la cara y la cabeza con los brazos y trataban de ponerse detrás de los soldados. En esa galaxia de golpes que venía hacia nosotros, los dos ladrones parecían un par de trapos viejos ensangrentados que todos se arrebataban. Finalmente la gente se llevó a uno de los ladrones de nuevo al mercado y lo encerró en una especie de jaula de alambre que se usaba como bodega. Los soldados se llevaron al otro y lo encerraron en las oficinas del municipio.

Una mujer menudita con voz de trueno apareció de pronto entre la multitud y ordenó que todos se callaran. El silencio la hacía más grande. La dejaron hablar seis frases y comenzaron de nuevo los gritos, la rabia, los insultos. Ninguno de los bandos estaba dispuesto a ceder su parte del botín humano.

Entre los gritos simultáneos, la pequeña presidenta no sabía ya a quién escuchar y ordenó que la gente del pueblo decidiera ahí mismo quiénes eran sus representantes porque no se podía hablar con todos al mismo tiempo.

—Decidan, además, qué cosa quieren conseguir. Porque no los van a matar así nada más. Eso ya no vuelve a pasar aquí. No somos animales.

Me pareció comprender entonces de qué hablaba el hombre que, sin quererlo, me había despertado por la mañana. Y el vendedor de jugos nos aclaró:

—Sí, hace justo un año, el día de "la vela", otros ladrones que no son de aquí (siempre vienen de otros pueblos), quisieron asaltar el puesto de joyas en el mercado. Es una tentación muy grande cuando se dejan impresionar por tanta moneda de oro colgando de las mujeres. Luego ven un puesto pequeño en el mercado y se les hace fácil. La gente los golpeó muchísimo, los castraron, los bañaron en gasolina y colgaditos, todavía medio vivos, les prendieron fuego.

Le señalé el medio árbol que yo había visto.

—No, ése fue de otro año. Ya van como siete árboles quemados en la plaza estos últimos 20 años. Algunos varias veces. Lo bueno es que con este sol y esta humedad todo crece de nuevo. Ya no habría plaza. El del año pasado fue ése.

Y me señaló uno muy grande y sin huellas de incendios o linchamientos, lleno de flores blancas.

—Eso sí, nos aclaró, cuando ya se colgó a alguien de un árbol, las muchachas de aquí no quieren para nada sus flores

en el pelo. Dicen que les da mala suerte, que luego les roban a los novios.

La presidenta pasó caminando rápido junto a nosotros, los únicos extraños en la plaza, y nos preguntó si éramos periodistas. Cuando le dijimos que no se sintió aliviada y sin despedirse se alejó. Tres pasos más adelanté llamó a un asistente y le ordenó.

—Llévate a los guatemaltecos a la Casa de Cultura y ahí los entretienes con discursos y bailes. Móntales algo que los tenga quietos, que no se den cuenta de nada.

Pregunté a nuestro puestero quiénes eran los guatemaltecos que iban a distraer. Esperaba que no pensara que éramos nosotros.

—Es un grupo de 20 presidentes municipales de Guatemala que están aquí para un congreso, invitados por el gobierno de Oaxaca.

—¿Y van a poder ocultarles esto?

—Sí, la gente que no sabe, no sabe. Por lo mucho van a creer que hay un poco de desorden. Y que vean tanto soldado no ha de ser raro para ellos. Allá está la calle más llena todavía de soldados, dicen. Lo malo es que al mero principio del asalto alguien corrió la voz de que los ladrones habían sido unos guatemaltecos y ya iban muchos con palos y antorchas a su hotel cuando unos taxistas agarraron a los verdaderos ladrones en el bloqueo de la carretera. Y se los trajeron entonces al mercado. No sé si ustedes se den cuenta, pero no hay más extranjeros hoy que ustedes y los guatemaltecos, y los ladrones. La carretera se cerró y nadie entra ni sale ya. Ni los turistas que quieran venir a la fiesta.

Todo el día Magui y yo paseamos por la ciudad. El mercado era nuestra meta, pero también visitamos la casa de doña Juana Cata, nos la mostró su nieta, que ya es una ancianita. El mobiliario de hace un siglo ocupa los mismos espacios; como fantasmas, las sillas hablan de un gusto lejano, de conversaciones olvidadas, de historias deshilvanadas en la leyenda. Visitamos el convento de Santo Domingo, que es Casa de Cultura, y sobre todo caminamos por los barrios, cada uno con su pequeña iglesia. En todas partes los preparativos de la fiesta continúan. Cada barrio presentará a su reina en la noche y las orquestas ensayan sus sones. Aquí y allá, por toda la ciudad, se escuchan trozos de la canción que identifica a todos como si fuera un himno regional: *Zandunga*.

Pero en todas partes también veíamos las huellas del posible linchamiento. Todo mundo hablaba de ello y de vez en cuando se escuchaban o se veían tumultos corriendo de un lugar al otro. Y las negociaciones con la presidenta se desplazaban por toda la pequeña ciudad para escapar de los guatemaltecos, como en una comedia de equívocos. Todos ayudaban. Era como esconder un elefante en un hormiguero con todas las hormigas simulando que no veían nada, y aparentemente lo lograban. La fiesta servía para justificar todas las anomalías. Una señora de Guatemala estaba comprando en el mercado ese queso típico de Oaxaca que ellos llaman "quesillo" y que es como una tira larga y delgada de hilos blancos envuelta en sí misma muchas veces hasta

Arriba y abajo:
Luis Lupone.
Fiesta en el barrio del Laborío.
Tehuantepec. 1991. Del estudio
fotográfico previo al documental
Que sí quede huella.

Página anterior:
Óscar Necoechea.
Sin título. 1995.

Página 73:
Alberto Garduño.
Tehuana.
Óleo sobre tela. 65.5 x 55.5 cm.
Colección particular.

formar una bola. Conversando con la mujer de los quesos le dijo que eran poco lógicas las explicaciones del caos que le daban. Por ejemplo, sobre la circulación de autos detenida. Le parecía que eso no ayudaba a los preparativos de la fiesta, más bien los entorpecía. La mujer simplemente respondió:

—Así somos en Oaxaca, en qué otro lugar del mundo hasta el queso se enreda.

Por la tarde la fila de autos y camiones sobre la carretera seguramente se extendía varios kilómetros. Veinte decían unos, cincuenta otros. Lo cierto es que el escándalo que venía de ese lado del horizonte arreciaba con el día, tanto como el calor que no tenía reposo. Una buena hamaca para la siesta era naturalmente nuestro pensamiento obsesivo. El calor se come a la gente, le bebe las energías. La gente es el fruto del que se alimenta para seguir creciendo hasta indigestarse y cerrar los ojos. Pero con la noche el calor no disminuye, permanece quieto, ciego, invisible, siempre táctil.

Llega la fiesta y se iluminan todas las caras. Las mujeres, orgullosas de su belleza, de sus vestidos, hacen de todo momento un desfile. El traje transforma a la tehuana en centro del mundo. O lo hace más evidente. Cubierta de flores bordadas que brotan de las telas es un jardín, el jardín de los jardines. Cuando se mueve es una promesa de paraíso. Su ajuar de monedas de oro anuncia su lugar central en la comunidad, poder y símbolo del mismo. El esplendor dorado de su apariencia la presume como eje del cortejo, de la coquetería, de los preludios de la vida amorosa. Su peinado, su maquillaje, con la preeminencia de los ojos revela su dominio de los códigos de la mirada.

Los hombres vamos vestidos rigurosamente de camisa blanca y pantalón oscuro, algunos con sombrero y paliacate al cuello. El jefe de cada familia se presenta ante la mesa del mayordomo, del encargado de hacer la fiesta, con un cartón de cerveza, participación simbólica en los gastos de la comunidad, marca de pertenencia a la fiesta de todos.

El son istmeño es un baile pausado, de desplazamientos suaves y elegantes. Las parejas efectúan los rituales de inicio del baile. Los hombres lucen diminutos y frágiles. Con frecuencia las mujeres bailan entre sí juntando sus voluminosas cinturas. Las varias vueltas del refajo hacen que la falda haga más grueso el cuerpo. Ser delgada es sinónimo de fealdad. Las abuelas bailan con las nietas, las hijas con las hermanas. Los pies no se ven porque el vestido debe casi rozar el suelo. En el tocado encajan pequeñas banderas de papel. Las más voluminosas se desplazan suavemente, como trasatlánticos maniobrando en la pista de baile como en un puerto.

Ya entrada la madrugada nos enteramos de que la huelga de taxistas ha terminado y todos llegaron a un acuerdo. La presidenta entra firme a la fiesta con una sonrisa tan amplia como su don de mando. Viene vestida de fiesta. Todos la saludan, la festejan. Se sienta, como un rey Salomón del trópico y del desierto, en la mesa de los principales. Pero la verdadera reina de la fiesta fue coronada horas antes. Su corte son las reinas de cada barrio. Le han puesto un trono elevado tras la pista de baile desde donde presencia en silencio, con su corona brillante y su cetro en la mano derecha, todos los detalles de la fiesta.

Los camioneros que llevaban todo el día detenidos en la carretera invaden furiosos la ciudad llevando tan sólo la parte delantera de sus camiones. Hacen un ruido indescriptible con bocinas y motores. Son más de veinte los que rodean el patio donde estamos celebrando y dan vueltas y vueltas alrededor de nosotros. De vez en cuando tocan la misma tonada con las bocinas: una muy conocida en México como un insulto que canta: "chinga tu madre". Decir ese insulto es "refrescársela a alguien". Nadie en la fiesta se siente aludido y continúan bailando como si nada sucediera. Una señora a mi lado me dice:

—Nos la refrescaron, pero con este calorcito hasta se agradece. Ni la lluvia para esta fiesta.

Como los camioneros siguen haciendo ruido también imperturbables, la presidenta da la orden de subir el volumen de la música. Las bocinas tiemblan. Los vasos sobre la mesa también. El sonido se siente en el cuerpo como si algo nos tocara. Un masaje brusco de vibraciones. Pero la gente sigue bailando como si nada. El exceso de esta música táctil se convierte para todos en una especie de embriaguez. El tono pausado de la fiesta se acelera ante el reto de la agresión camionera y una nueva orquesta, más moderna, entra en acción.

Los camioneros se detienen de golpe para mirar a las tres cantantes de la nueva orquesta en sus diminutos bikinis brillantes. Luego hacen algunas rondas más en sus cajas de inmensas ruedas y desaparecen como si se hubieran diluido en el ruido caótico y descomunal que propiciaron. Mucha gente ni cuenta se da de que se fueron. Cuando se rompen los vidrios de una casa vecina alguien decide bajar el volumen de la música.

Algunos dicen que la fiesta se llama vela porque nadie duerme, todos permanecemos en vela toda la noche. Otros por el cirio, la vela, que en las fiestas se ofrece al patrón de la ciudad, del barrio o de la cofradía. En todo caso, la salida del sol apaga todas las velas. El sol nos sorprende bailando. Magui quiere que antes de regresar al hotel demos un paseo bajo los árboles perfumados de la plaza. Las carrozas y sus tripulantes todavía duermen. El mercado comienza a despertar lentamente. Algunas jóvenes van directamente de la fiesta a abrir su puesto de verduras o flores.

En la orilla más lejana de la plaza nos parece distinguir un árbol quemado. Se ve que fue anoche y que lo apagaron con tierra y agua. Es inútil preguntar qué pasó, nadie sabe, nadie dirá nada. Manchas que tal vez sean de sangre y aceite se adivinan bajo la tierra echada sobre los adoquines de la plaza y en algunas flores blancas, de pétalos absorbentes. Hasta el dueño del puesto de jugos se muestra tajante y evasivo.

—Aquí no pasó nada. Bueno sí, hubo una fiesta. ¿Qué no fueron a la vela? 🌿

ALBERTO RUY SÁNCHEZ, autor de varios libros entre los cuales están *En los labios del agua*; *Los nombres del aire*; *Los demonios de la lengua*; *Con la literatura en el cuerpo*. Es director de *Artes de México*.

HC

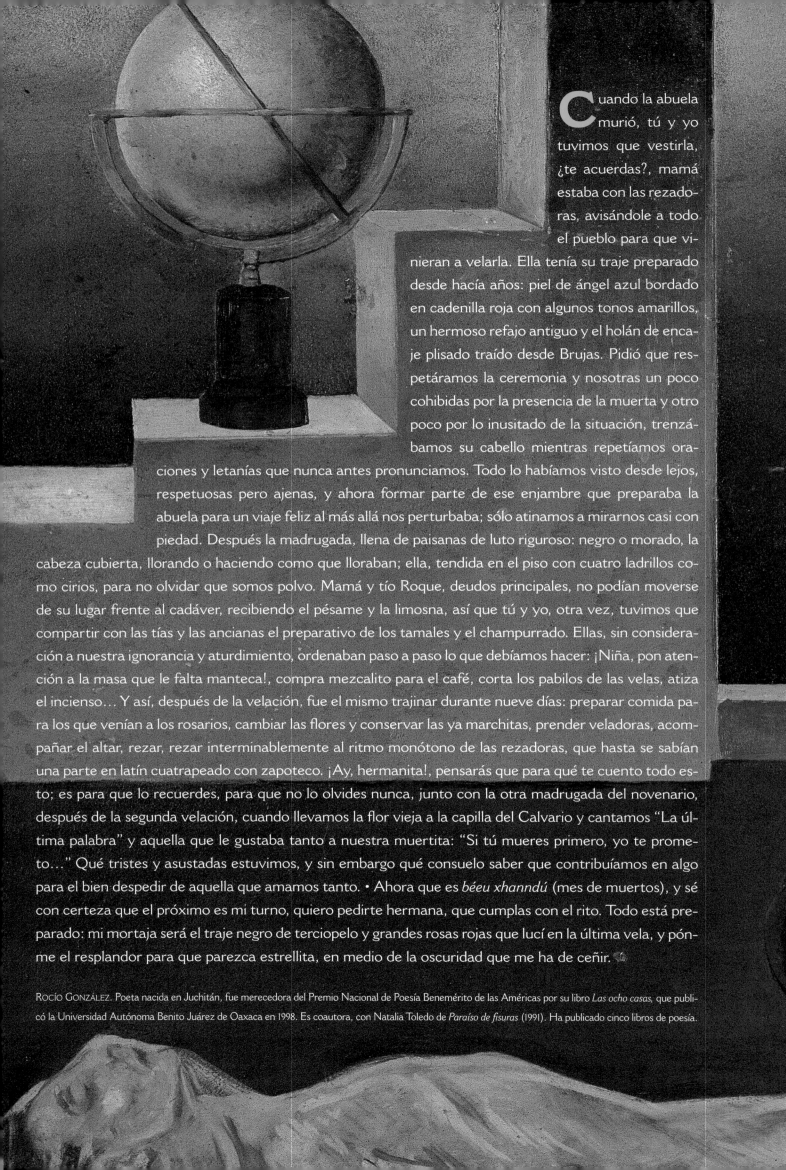

Cuando la abuela murió, tú y yo tuvimos que vestirla, ¿te acuerdas?, mamá estaba con las rezadoras, avisándole a todo el pueblo para que vinieran a velarla. Ella tenía su traje preparado desde hacía años: piel de ángel azul bordado en cadenilla roja con algunos tonos amarillos, un hermoso refajo antiguo y el holán de encaje plisado traído desde Brujas. Pidió que respetáramos la ceremonia y nosotras un poco cohibidas por la presencia de la muerta y otro poco por lo inusitado de la situación, trenzábamos su cabello mientras repetíamos oraciones y letanías que nunca antes pronunciamos. Todo lo habíamos visto desde lejos, respetuosas pero ajenas, y ahora formar parte de ese enjambre que preparaba la abuela para un viaje feliz al más allá nos perturbaba; sólo atinamos a mirarnos casi con piedad. Después la madrugada, llena de paisanas de luto riguroso: negro o morado, la cabeza cubierta, llorando o haciendo como que lloraban; ella, tendida en el piso con cuatro ladrillos como cirios, para no olvidar que somos polvo. Mamá y tío Roque, deudos principales, no podían moverse de su lugar frente al cadáver, recibiendo el pésame y la limosna, así que tú y yo, otra vez, tuvimos que compartir con las tías y las ancianas el preparativo de los tamales y el champurrado. Ellas, sin consideración a nuestra ignorancia y aturdimiento, ordenaban paso a paso lo que debíamos hacer: ¡Niña, pon atención a la masa que le falta manteca!, compra mezcalito para el café, corta los pabilos de las velas, atiza el incienso… Y así, después de la velación, fue el mismo trajinar durante nueve días: preparar comida para los que venían a los rosarios, cambiar las flores y conservar las ya marchitas, prender veladoras, acompañar el altar, rezar, rezar interminablemente al ritmo monótono de las rezadoras, que hasta se sabían una parte en latín cuatrapeado con zapoteco. ¡Ay, hermanita!, pensarás que para qué te cuento todo esto; es para que lo recuerdes, para que no lo olvides nunca, junto con la otra madrugada del novenario, después de la segunda velación, cuando llevamos la flor vieja a la capilla del Calvario y cantamos "La última palabra" y aquella que le gustaba tanto a nuestra muertita: "Si tú mueres primero, yo te prometo…" Qué tristes y asustadas estuvimos, y sin embargo qué consuelo saber que contribuíamos en algo para el bien despedir de aquella que amamos tanto. • Ahora que es *béeu xhanndú* (mes de muertos), y sé con certeza que el próximo es mi turno, quiero pedirte hermana, que cumplas con el rito. Todo está preparado: mi mortaja será el traje negro de terciopelo y grandes rosas rojas que lucí en la última vela, y ponme el resplandor para que parezca estrellita, en medio de la oscuridad que me ha de ceñir. ❧

Rocío González. Poeta nacida en Juchitán, fue merecedora del Premio Nacional de Poesía Benemérito de las Américas por su libro *Las ocho casas*, que publicó la Universidad Autónoma Benito Juárez de Oaxaca en 1998. Es coautora, con Natalia Toledo de *Paraíso de fisuras* (1991). Ha publicado cinco libros de poesía.

Si yo muero primero

Rocío González

Roberto Montenegro.
Tehuana llorando a su muerto. 1935.
Óleo sobre masonite. 29 x 39 cm.
Colección particular.

La Zandunga

Zandunga mandé a tocar, ¡ay mamá por Dios!
En la batalla de flores, cielo de mi corazón.
Ahora quiero recordar, ¡ay mamá por Dios!
Trigueña, nuestros amores, cielo de mi corazón.

¡Ay Zandunga! qué Zandunga
de oro, mamá por Dios,
Zandunga que por ti lloro,
prenda de mi corazón.

Una lechuga en el campo, ¡ay mamá por Dios!
con el rocío reverdece, cielo de mi corazón;
un amor grande perdí, ¡ay mamá por Dios!
pero qué cuidado es ése, cielo de mi corazón.

¡Ay Zandunga! qué Zandunga
de plata, mamá por Dios,
Zandunga tu amor me mata,
cielo de mi corazón.

Por vida suya señores, ¡ay mamá por Dios!
no murmuren del que canta, cielo de mi corazón,
por el polvo del camino, ¡ay mamá por Dios!
traigo seca la garganta, cielo de mi corazón.

¡Ay Zandunga! qué Zandunga
de Solís, mamá por Dios,
Zandunga eres de Ortiz,
cielo de mi corazón.

China de los ojos negros, ¡ay mamá por Dios!
labios de coral partido, cielo de mi corazón,
dame un abrazo mi amor, ¡ay mamá por Dios!
para quedarme dormido, cielo de mi corazón.

¡Ay Zandunga!…

BIBLIOGRAFÍA

ATL, DOCTOR (GERARDO MURILLO), "Tejidos de púrpura de Oaxaca", en *Mexican Folkways*, vol. I, núm. 2, México, 1925.

ARTES DE MÉXICO, "Oaxaca", núms. 70-71, México, 1960.

BENNHOLDT-THOMSEN, Veronika, *Juchitán, Stadt der Frauen* (Juchitán, ciudad de mujeres), Hamburgo, 1994.

BARABAS, ALICIA Y MIGUEL BARTOLOMÉ, *Etnicidad y pluralismo cultural. La dinámica étnica en Oaxaca*, México, 1986-1990.

BRASSEUR DE BOURBOURG, CHARLES-ETIENNE, *Voyage sur l'Isthmus de Tehuantepec, dans l'état de Chiapas et la République de Guatemala*, París, 1861.

BURGOA, FRAY FRANCISCO DE, *Palestra historial*, México, 1934.

—*Geográfica descripción*, México, 1934.

CHARLOT, JEAN, *Mexican Mural Renaissance*, Yale University Press, New Haven y Londres, 1963.

COVARRUBIAS, MIGUEL, "Women of Fashion of Tehuantepec", en *Vogue*, Nueva York, 15 de enero, 1942.

—*Mexico South-The Isthmus of Tehuantepec*, Alfred A. Knopf, Nueva York, 1946.

—*El sur de México*, Instituto Nacional Indigenista, México, 1980 (Clásicos de la antropología mexicana, núm. 9).

DALE, R., *Notes of an Excursion to the Isthums of Tehuantepec*, Londres, 1851.

FERNÁNDEZ DE BUSTAMANTE, ADOLFO, "Lo que Eisenstein vio en el Istmo de Tehuantepec", *Nuestro México*, México, 1932, edición facsimilar del FCE, México, 1981 (Col. Revistas literarias mexicanas modernas).

FERNÁNDEZ LEAL, MANUEL, *Informe sobre el reconocimiento del Istmo de Tehuantepec*, México, 1879.

FLÜGEL, J. C., "Die Psychologie der Kleidung" (Psicología de la vestimenta) en S. Bovenschen, *Die Listen der Mode*, Frankfurt/Main, 1986.

FOSSEY, MATHIEU DE, *Viaje a México*, CNCA, México, 1994 (Col. Mirada Viajera).

GARAY, J. DE, *Reconocimiento del Istmo de Tehuantepec*, El Ateneo Mexicano, vol. I, México, 1844.

GAY, J. A., *Historia de Oaxaca*, México, 1881.

GIEBELER, C., "La presencia: Die Bedeutung der Tracht" (La presencia: el significado de la indumentaria), en Veronika Bennholdt-Thomsen, *Juchitán-Stadt de Frauen*, Hamburgo, 1994.

GUERRERO, RAÚL G., "Juegos infantiles del Istmo de Tehuantepec", en *Tiras de colores*, I, 12, México, 1943.

HENESTROSA, ANDRÉS, *Los hombres que dispersó la danza*, México, 1929.

—"Estudios sobre la lengua zapoteca", *Investigaciones Científicas*, I, México, 1933-1934.

—"Las formas de la vida sexual en Juchitán (1930)", en *Guachachi Reza*, 2da. época, núm. 22, marzo de 1985.

HERMESSDORF, M. G., *On the Isthmus of Tehuantepec*, Royal Geographic Society Journalists, Londres, 1862.

HOVEY, EDMUND OTIS, *The Isthmus of Tehuantepec and the The National Railway*, American Geographic Society Bulletin, XXXIX, Nueva York, 1907.

LOZANO, LUIS MARTÍN (coordinador del proyecto), *Del Istmo y sus mujeres: tehuanas en el arte mexicano*, CNCA, INBA, Museo Nacional de Arte, México, 1992.

LINATI, CLAUDIO, *Costumes Civiles, Militares et Religieux du Mexique*, Bruselas, 1831.

MANZO DE CONTRERAS, C., *Relación cierta y verdadera de lo que sucedió y ha sucedido en esta Villa de Guadalcázar, Provincia de Tehuantepeque, desde los 22 de marzo de 1660 hasta los 4 de junio de 1661*, México, 1661.

MARTÍNEZ GRACIDA, MANUEL, *Cuadros sinópticos de los pueblos, haciendas y ranchos del estado libre y soberano de Oaxaca*, Oaxaca, 1883.

— *El rey Cosijoeza y su familia*, México, 1888.

—*Historia de Tehuantepec, San Blás, Shihui y Juchitán en la intervención francesa en 1864*, Oaxaca, 1911.

MONSIVÁIS, CARLOS, *Foto Estudio Jiménez: Sotero Constantino, fotógrafo de Juchitán*, Ediciones Era, H. Ayuntamiento Popular de Juchitán, México, 1984 (Serie Crónicas).

PEIMBERT, D. A., *El Ferrocarril Nacional de Tehuantepec*, México, 1908.

PEÑAFIEL, ANTONIO, *Gramática de la lengua zapoteca por un autor anónimo* (con bibliografía de la lengua zapoteca y un confesionario en lengua zapoteca de tierra caliente o Tehuantepec), México, 1887.

PETRASCHEK-HEIM, I., *Die Sprache der Kleidung-Wesen und Wandel von Tracht, Mode, Kostüm und Uniform*, 2a. edición, Baltmannsweiler, 1988.

PONIATOWSKA, ELENA Y GRACIELA ITURBIDE. *Juchitán de las mujeres*. Ediciones Toledo. México. 1989.

RAMÍREZ, J. F., *Memoria, negociaciones y documentos para servir a la historia de las diferencias que han suscitado entre México y los Estados Unidos los tenedores del antiguo privilegio, concedido para la comunicación de los Mares Atlántico y Pacífico por el Istmo de Tehuantepec*, México, 1853.

SCHEINMANN, P., "A Line in Time: Innovative Patterning in the Isthmus of (Ishtmian) Mexico", en M. Blum Schevill y J. C. Berlo (editores), *Textile Tradition of Mesoamerica and the Andes*, Nueva York, 1991.

SELER, EDUARD, *Noticia sobre la lengua zapoteca, memoria presentada en la 5a. sesión del Congreso Internacional de Americanistas*, París, 1890.

SHUFELDT, ROBERT W., *Reports on Explorations and Surveys to Ascertain the Practicability of a Ship-Canal between the Atlantic and the Pacific Oceans, by way of the Isthums of Tehuantepec*, Washington, 1872.

SIERRA TORRE, AÍDA, *Geografías imaginarias*, Instituto Mexiquense de Cultura, Toluca, 1992.

— "Geografías imaginarias II, La figura de laTehuana", en Lozano, Luis Martín (coordinador del proyecto), *Del Istmo y sus mujeres: tehuanas en el arte mexicano*, CNCA, INBA, Museo Nacional de Arte, México, 1992.

SPEAR, JOHN C., "Report on the Geology, Mineralogy, Natural History, Inhabitants and Agriculture of the Isthmus of Tehuantepec", en Shufeldt, Robert W., *Op. cit.*, Washington, 1872.

TORRES, J. DE, "Descripción de Tehuantepeque, hecha por su alcalde mayor", en *Revista Mexicana de Estudios Históricos*, II, 5-6, México, 1580.

VASCONCELOS, JOSÉ, *Ulises criollo*, FCE, México, 1985, (Col. Lecturas mexicanas, núm. 12).

—"Discurso inaugural del edificio de la Secretaría de Educación Pública (1922)" en *Obras completas*, Libreros Mexicanos Unidos, México, 1958.

Jicalpextle. Chiapa de Corzo.
Museo Ruth D. Lechuga de Arte Popular.

The Tehuana

EDITORIAL

The Weave of a Culture

Alberto Ruy Sánchez Lacy

Chronicles of travels through the Isthmus of Tehuantepec inevitably speak of fascination. Oddly enough, however, rather than express their wonder at the place, the architecture or the natural surroundings, chroniclers confess to having fallen irremediably under the seductive spell of the women. They are a cultural phenomenon in and of themselves: with their bodies, their clothing, their community rites and everyday activities, they create an exceptional environment, and a rhythm of life that is unique to it. They are mythical in the most classical sense of the word, because their worldly existence and living rituals sustain and reproduce that myth. Originating with the prototypical nineteenth-century traveler (entrepreneurs with dreams of utopia or erudite explorers of the unknown, sent by corporations or universities, or by governments with a view to expansion), during the twentieth century the phenomenon spread to artists, writers and ethnographers who converted the Isthmus into a Mecca for cultural pilgrims from Mexico and abroad, and contributed to the increasing number of representations of the female population. The source of this magnetic attraction was the Tehuana. This term is a generalization that has been adopted outside the Isthmus to describe a group of culturally diverse women: the Juchitecas of Juchitán, the Blaseñas of San Blas, and so forth. Though these women are clearly Mestizas, the mythic voyage toward the Tehuana is a voyage to the roots, to the origins. An awed leap not only into the cultural wellspring constituted by the idea of Mexico, but to the buried mythic foundations of culture where matriarchy was apparently the rule. There is no question that the Tehuana possesses the cultural value of difference. Her numerous artistic representations may be of questionable accuracy for the significant dose of myth contained in them, but they are true to a deeper reality which is precisely that of a captivating cultural diversity. The Tehuanas—that is, the women of the Isthmus—are indeed distinct and fascinating. When they dance their *sones* at one of the mandatory ritual fiestas called *velas*, their skirts and *huipiles*, covered in brightly colored flowers, turn the hall or the dance floor into a kind of moving garden, rhythmic and seductive. A garden which entices us with an uncommon attractive force. A sea of blossoms: foamy waves spill over into ruffles and flounces under the skirts. A continual exchange of haughty glances and confident smiles shows they are convinced of their own supremacy. When the women of the Isthmus dance, it is only natural for artists to succumb to their mesmerizing power—without exception. Tehuanas in all their diversity wear their culture like a dense cloth woven from their acts, their daily tasks and the fiestas which together give meaning to life, from myth and the rituals that reinvent it, from the reality of their community and the view from outside. *Artes de México*'s continuing exploration of Mexico's cultural symbols would not be complete without a look at the women of the Isthmus of Tehuantepec. Here we present some of the classic chronicles which forged the myth and an array of examples of how the Tehuanas have had an impact on the imagination of writers and artists alike. *Translated by Michelle Suderman*.

Francisco Zúñiga. *Seated Juchiteca*. 1974.
Bronze 93.7 x 69.5 x 91 cm.

The Unexpected Beauty of Indigo

Mathieu de Fossey

TEHUANTEPEC is a town of some six thousand citizens, give or take a few. It is situated seventy leagues east-southeast of Oaxaca, and has always been the second-most important community of the Zapotec lands. Cortés, in his letters to Charles V, designated it as a seaport, as did all ancient geographers. However, due to the receding waters of the Pacific Ocean, it now lies at more than four leagues from the beach.

The principal occupation of the inhabitants of Tehuantepec is the cultivation of indigo and the elaboration of the richly colored dye derived from it. The indigo plant bears a close resemblance to alfalfa. After harvesting, it is placed in a tub of water and left to ferment. When fermentation begins, the water containing the dis-

solved starches which render the blue color is drained into a second tub and stirred vigorously to separate the starches from the salts naturally occurring in the plant. When the colored particles begin to cluster together, they are left to settle. Once the water has been clarified, the blue starch is drained by means of a faucet into a third tub and allowed to achieve a certain degree of desiccation, at which point it is placed in boxes so as to continue the drying process.

The indigo produced in Tehuantepec is of very fine quality. Its cultivation on the Isthmus has met with more success than that of cochineal. Harvests yielded an average of thirty-five thousand pounds of indigo at the turn of the [nineteenth] century; today they surpass that quantity. The finest indigo, made with the plant's flowers, can only be found in Guatemala, where no more than a few hundred pounds are produced.

Murices—from which the purple color so frequently alluded to in antiquity is derived, and

whose shoals along the shores of the Isle of Cypress have been depleted—may be found all along the Pacific coast from Guayaquil to Mazatlán, but they are mainly gathered from the rocks in the lagoons of Tehuantepec, where they are especially plentiful. The women go there carrying lengths of fabric or bundles of spun cotton yarn divided into smaller hanks, and as they pluck each mollusk off the rock, they squeeze the creature between their fingers over whatever material they wish to dye, thus extracting a whitish liquor which turns purple on drying.

This dye is indelible and acquires a sheen after several washings. It does not exhibit an equal degree of fastness on all fabrics, tinting cotton and wool more successfully than silk. It is much prized among the women of Tehuantepec, Juchitán and surrounding areas; they wear skirts of this color with their petticoats, and those who do not dye their own garments pay very dearly to obtain such finery.

Bernice Kolko. *Three Graces*. 1954. Juchitán. Collection of the Zúñiga-Laborde Foundation.

The women of Tehuantepec have a very particular style of dress, without a doubt the most elegant in America; this does not even exclude the women of Lima whose costume is more extravagant than it is original and more ridiculous than it is tasteful, however much artistry they may employ in their attempt to beautify it.

In Tehuantepec the typical ensemble consists of a muslin or gauze skirt fastened at the hips with a gold-fringed silk girdle and trimmed with either a wide flounce or more gold fringe. To this is added the *huipil*, a short-sleeved tunic which clings loosely at the bustline and leaves the small of the back bare. This huipil is made from either embroidered muslin or plain fabric; but there is another kind of huipil which is invariably made from white muslin and is worn over the head in such a way that the trimming around the neck frames the face and one sleeve is left hanging to the waist at the front and the other dangling halfway down the back. At once ornate and elegant, this outfit does perfect justice to any young woman's charms, but is also marvelously suited to all body types.

The first time I saw some of the young women of Tehuantepec dressed in their national costume, I thought they looked adorable. What is more, their gaze and their demeanor lend them an air of softness, the ideal complement to their elegant grooming. Living beneath such a scorching sky, it follows that they have a passion for pleasure.

Any traveler who arrives in Tehuantepec on a feast day will surely be both astonished and enraptured by the sight of those finely garbed maidens, just as if he had stumbled upon a patch of verdant grasses and lush vegetation amidst the arid sands of Libya. After journeying through such a sparsely populated land where the people are characterized by their unsightly appearance and boorish behavior, the contrast is bound to enhance the feeling of enchantment offered by such an unexpected change. *Translated by Michelle Suderman.*

The Didjazá

Charles Brasseur

ALTHOUGH the women of Tehuantepec—with the exception of the Creoles—are the least inhibited of any I have met in America, they are still decorous enough not to show themselves in places like this [village billiards hall]. I saw only one woman associating with the men without the least discomfort and boldly challenging them on the felt, where she acquitted herself with incomparable dexterity and skill. She was a bronze-skinned Zapotec Indian, youthful, slender, elegant, and so handsome that she enslaved the hearts of white men, like Cortés's lover long ago. Her name does not appear in my notes, perhaps because I forgot it, or perhaps I never knew it. But I remember overhearing some of the men teasingly call her *Didjazá*, meaning "the Zapotec girl" in that language. I also recall the first time I saw her, I was so struck by the pride and

arrogance of her bearing and the opulence of her native costume, so similar to that imagined for Isis by many painters that I thought she must surely be the Egyptian goddess, or else Cleopatra in person. That night she was wearing a skirt of striped turquoise material, wrapped simply around the body from the hip to just above the ankle, and a *huipil* of gauzy crimson silk stitched in gold; a kind of short-sleeved camisole was draped over her back and bust, over which lay a heavy necklace of gold coins, each pierced near the edge and then threaded into a chain. Her hair was parted in the middle and plaited with long blue ribbons to form two glossy braids swinging against her neck, and her face was framed by a headdress of pleated white muslin, having exactly the same folds and shape of the Egyptian *calantica*. I repeat, never have I laid eyes on so thrilling an incarnation of Isis or Cleopatra.

I shall not dwell on the subject of her reputation; it was on a par with that enjoyed by most Tehuantepec ladies, whatever their social rank. Indeed, it was the levity of manners so ubiquitous in this essentially voluptuous city—both for its location and its character—that obliged Don Juan Avedaño to part from his own wife, sending her with their daughter back to her parents in the neighboring state of Chiapas for an indefinite period of time. But this Indian maid, so alluring and seductive in the eyes of whoever was in her company, was the cause of mysterious terror in many others. Some believed her mad, but the majority—especially among the lower classes—feared her as a witch who communicated with *naguales*, the spirits of Mount Rayudeja. Besides a thorough understanding of medicinal herbs and their properties, she was said to be knowledgeable in a host of other sciences, secrets which she put to use as she pleased; even her skill at pool was considered an effect of magic. The Indians respected her as they would a queen; whatever time of night she dared walk by a guard post, the sentinels seemed to recognize her instinctively and refrained from calling *Who goes there*.

As for myself, despite my skepticism regarding her supernatural powers, I was by no means displeased to meet the woman who embodied Tehuantepec's conception of witches. When a friend of Avendaño's named Pancho Portocarreron first took me to the billiards hall to observe this wonder, it struck me that her charms must exert a far more fearsome power over those who succumbed to her allure than all the sorcery of spells and potions. And yet I could not fail to notice the strangeness in her gaze. Her eyes were the blackest and brightest I had ever seen, especially when she was concentrating on a game. But there were times when she suddenly froze, leaning against the wall or the edge of the pool table, with the fixed, glazed eyes of a dead man. Then she would lower her lids, and beneath the long ebony lashes there would flare a glimmer as of lightning, raising the hackles of any onlooker.

"She's a madwoman!" was the opinion expressed by Avendaño's chief of staff, Don Abraham, on one such occasion.

Was it madness as he maintained? Or was it rather, as others believed, an absence during which her spirit traveled with its *nagual* to an unknown world? Let the reader decide for himself. I never did have the opportunity to converse with this woman; rather, I settled for watching her, listening to her words and those uttered around her. She expressed herself in a Castilian as refined as that of the leading ladies of Tehuantepec, but nothing was so melodious as her voice when she spoke the beautiful Zapotec tongue—so sweet and resonant it might be called the Italian of the Americas. *Translated by Lorna Scott Fox.*

Life

Sergei Eisenstein

Life…
The tropics—drowsy, damp, muddy.
Branches laden with fruit.
Water reflecting dreams.
And dreaminess throbbing in the eyelids
of women.
Of young girls.
Of future mothers.
Of those who were in the past.

The mother rules over Tehuantepec like a queen bee. By some miracle, the matriarchal tribal system has survived for hundreds of years. There are strange trees with branches that look like snakes. And like snakes, waves of heavy black hair undulate around the dreamy eyes of young girls yearning for their beaux. In Tehuantepec, women play the active role.

Already in childhood girls begin to build a new family. Weaving. Gathering fruit. Selling. Sitting for hours on end in the market. The slow-paced and rambling market overflowing with people in Tehuantepec. Day after day, centavo after centavo. Until the young woman's neck feels the weight of a gold chain. A chain of gold coins. Coins from Guatemala, the United States, coins bearing the Mexican eagle. Dowries and savings, fortune and freedom, a new home and a wedding. One of the words used in Spanish for marriage is *casamiento*, which basically refers to the establishment of a new *casa* or house. A new home. A new family.

We see picturesque fiestas in which persist ancestral customs such as that of placing red marks on the face, a ritual alluding to the Spanish practice of branding Indians and cattle. We see dances, garments of ancient design, gold, silver and lace. We witness a young woman's love story as through costume and ritual her tale leads from love to marriage. And in turn, from her wedding and the dance of the Zandunga to her happy home shaded by palm trees. A new home in the shade of a snow-white *huipil*: headdresses in the form of snowcapped mountains crowning the bride and the triumphant mother.

Snowy peacefulness.
Snowy like the Popocatépetl's aging hair.
Translated by Richard Moszka.

The Creation of a Symbol

Aída Sierra

THE image of the Tehuana as seen in the 1920s is the end result of nineteenth-century travelers' chronicles and photographs which represented the Isthmus of Tehuantepec as a strangely magical or—from an ethnographic perspective—curious place.

The region became important in the mid-nineteenth century as a strategic military and commercial zone. During Porfirio Díaz's term of office, expeditions, surveys and detailed investigations were conducted of the Isthmus's towns and inhabitants. To these accounts—some of them scientific, others captivating tales of travel—we must add Porfirio Díaz's personal interest in the Zapotec region.

This perhaps explains his inclination for the Tehuanas' attire, which by the end of the century was often worn as a costume at masquerade balls and carnivals. Little by little, Tehuanas began to appear alongside the popular *manolas* and *majas* (showily dressed Spanish women), Marie-Antoinettes, Bavarian peasant girls, Roman princesses and all sorts of other picturesque fashion archetypes.

Early in the twentieth century, Charles B. Waite would take a series of photographs on the Isthmus of Tehuantepec which included panoramic shots and the Tehuanas—with their pitchers by the river, or dressed for the fiesta of their patron Saint Vincent. Scott, another U.S. photographer, attempted a visual description of what was considered an ethnicity. His Tehuanas, like some of Waite's, were shown congenially looking at the camera as they performed everyday activities: caught off-guard at the market and carrying water or clean laundry, they were asked to show the contents of their *jicapextle* (large gourds used to carry goods on their heads).

Looking at these images, it is obvious that the region's women and clothing captured the photographers' interest; perhaps the clothing was the most tangible evidence of that ethnic difference they were seeking to record.

Before the Panama Canal opened, the Zapotec area of the Isthmus experienced bustling international trade. José Vasconcelos, then campaigning in the region for Madero, would years later record his impressions in his *Ulises criollo*: "The new rich spent their time speculating; yesterday's small landowners had seen the value of their properties soar a hundredfold, and either sold or rented them to foreigners, so everyone had a good time working up a sweat."

"No yearning of the flesh went unsatisfied" in those latitudes where Vasconcelos believed the Mestizos he had seen were the "most sculpturally handsome and sensual of America" and where his eye was caught by the "dazzling spectacle" of women coming and going at the market.

Vasconcelos delighted in describing the Tehuanas, whom he considered the exotic inhabitants of a place of "strange charms and violent sensualities." He characterized the Isthmus's two major cities—Tehuantepec and Juchitán—as Creole and Mestizo respectively, "with an exotic appeal unequaled anywhere in the world." Above all it was the women who pleasantly surprised him, as he mentions them time and again: "Dressed in red and yellow, with white headdresses, slim shoulders and waists, wide hips, firm breasts and black eyes, those women possess something of sensual India, but without the religiousness."

Though Vasconcelos wrote these accounts long after his trip—around 1935 to be specific—his impressions had likely not changed much since 1922 as it was he who suggested that Diego Rivera travel to the Zapotec region shortly after the latter's return from France. At the time Rivera was working on *La creación*, a decorative mural in the Bolívar Amphitheater. The piece was not altogether to Vasconcelos's liking as he found it bore the clear imprint of the European frescos Rivera had observed a year before.

As Minister of Public Education, Vasconcelos sought an aesthetic means to bring spiritual works to light as something capable of fostering a genuinely national (!) enterprise. This was not because he intended to shut himself up obsessively within our geographic borders, but rather because he was determined to lay the groundwork for an autochthonous Hispano-American culture. This is why he was so enthusiastic about Rivera's trip to the Isthmus, a land bound to his notion of "the national." According to Olivier Debroise, he perhaps encountered in the Zapotec people the intuition and "barbaric" force that could bring new life to the culture inherited from Spain. Furthermore, he discovered in the Isthmus a place connected to the "refinement of the native and the popular" which—if properly channeled—would flourish in a universal environment.

Thus, when Rivera was finishing up *La creación*, Vasconcelos decided to sponsor his sojourn on the Isthmus, as he wished to "de-Europeanize" the artist's style a bit and considered that southern Mexico would be the ideal environment to do so. Following his recommendation, Rivera left for Tehuantepec; on this first trip he would realize various sketches of the women, dances and landscapes he saw there. Upon his return, Rivera spoke of his great surprise at having finally discovered "his" Mexican tropics—a space filled with sensuality and absolute freedom, the modern allegory of earthly paradise.

Such was the theme Diego Rivera developed in the four panels of the first flight of stairs at the

Below: Luis Márquez. Collection of Ofelia Murrieta. Page 85: Woodcut by Hildebrand, from a drawing by D. Marcheranio based on a photo by Désiré Charnay.

new Ministry of Public Education (SEP) building. Rivera also directed his energy at seeking an ancient and revitalizing force on which to base present society.

The nostalgia for a shared origin that was so common to modernist thinking. A return to paradise which to a large extent was the spur to his fascination for the hot tropics. It was a happy homecoming for him—a return not only to the motherland after a fourteen-year absence, but also to the myth of origins.

As the rulers of paradise, Tehuana women reappeared in the frescos Rivera painted after 1923. *La zafra* (Sugarcane Harvest), *Los tintoreros* (The Dyers) and *Zandungo*, located in the SEP's Patio del Trabajo, and *Baño en Tehuantepec* (Bathing in Tehuantepec), in the passage leading to the elevator, are images of a rural life with close ties to the sowing and reaping of fruit in a bountiful land. Peaceful Isthmus dwellers coexist in a kind of spiritual communion with nature. Daily life takes place serenely among lush palm trees and fantastic landscapes of brilliant greens and ochres, and is only interrupted by ritual fiestas. Rivera's Zapotecs belong to an exemplary community: hardworking and very peaceful.

The region in 1923 was far from peaceful, nor was it known to be so, given that since the nineteenth century its inhabitants had become notorious for being a courageous and indomitable people "when it comes to defending their rights against petty tyrants," in the words of Miguel Covarrubias. Why then imagine life in the tropics in these idealized terms?

Rivera's images constructed a different history, one somewhat removed from the region's own and having more to do with a certain way of conceiving nationhood, evoking the indigenous person as a social epitome, extolling his or her condition while largely minimizing the contemporaneousness of the indigenous existence—concepts which coincide with the ideal harmonious order so yearned for in post-Revolutionary urban life.

During those years, Tehuanas were popular figures of the entertainment world, a dash of nationalism at theaters and carnivals. Each year on January 1, breweries gave away calendars bearing the picture of a soprano dressed as a Tehuana. Operetta companies presented *La Zandunga* and strains of *La Llorona* could be heard at parties. Many intellectuals traveled to the Isthmus during this period. Various accounts—written or otherwise—exist of this fashion, among them Edward Weston's, which mentions how at Lupe Marín and Diego Rivera's house there was much talk of "Tehuantepec, the southernmost part of the Isthmus, of its beautiful women and their clothing. It is the women who oversee the region's trade while men do the physical labor. Free love is common practice there in spite of Catholicism, as the latter is not taken seriously except in its festive aspects. The indigenous people speak their own language which scholars believe is that of ancient Atlantis."

Jean Charlot reports another comment by Diego Rivera, who upon returning from his first

trip to the Isthmus told "stories of a matriarchal society, where Amazon women rule over bewitched men; where the natives—born white—turn a deep, lasting ochre after being scorched by the burning sun; where beautiful bathers have skin dotted with spots like that of leopards. There, Tehuana women coveting his corpulent figure—he claimed—approached his wife to offer her any man she might desire in exchange."

Rivera's ability to fabricate mythical accounts of factual events was well known, but what we should draw attention to here is the fact that because of its difference, the Zapotec region fostered unbridled fantasy and became a space for the unusual, a space where one could imagine a different, unconventional life. People projected their own desires and longings onto this far-off geography.

In Mexico City, the spread of certain notions regarding Isthmus women's behavior prompted a response from Andrés Henestrosa, a native of Oaxaca well acquainted with the region. His article—bearing the explanatory title "Sexual Lifestyles in Juchitán"—was directed at those who thought some of the Isthmus dwellers' habits stemmed from a sort of "tropical languor." Henestrosa underscores and explains all the conventions young women had to comply with in order to eventually marry, and their custom of bathing nude in the river. He comments, in turn, that these matters were only disturbing to the eyes of tourists and travelers ignorant of realities different from their own, as they "did not know that life on the entire Isthmus, and more specifically in Juchitán, observed customs that were rooted in ancient traditions. […] It is a way of being and a style of conduct."

However, within the construction of national symbols, there was no interest in entering into the details of regional lifestyles; on the contrary, the prevailing ideology sought to preserve their spectacular element, their mythic splendor. Thus they served to demonstrate "former customs and past racial characteristics" in the words of Adolfo Fernández de Bustamante, who—along with painter Adolfo Best Maugard—would be the censor of Eisenstein's film *¡Que Viva México!* In his essay "What Eisenstein Saw on the Isthmus of Tehuantepec," his stance is very clear as to the image that should be shown to a foreign public: "Our race, our country of Indians, Creoles and

Mestizos, is not prone to cardboard sentimentalism; our dramas are made of stone and blood. And if this is what has demonstrated to foreigners that we are different and worthy of being taken into consideration, then why take paths we were never meant to follow."

He counters the image of Mexico disseminated by Hollywood, based on the assumption that what Eisenstein saw and filmed was intended to be a precise version of the essence of Mexico: "[Eisenstein] came to our country, lured by our legends, to discover the aesthetic truth of Mexican wonders, which are all the more misrepresented for the widespread ignorance of them."

Regarding the region of the Isthmus, the warm tropics needed no explanation, for Fernández de Bustamante saw them as "sleepy and picturesque with clouds of torrid jungle and women with upturned breasts, as the popular song goes."

Being part of Western culture, or one extreme of it, Mexico's urban culture reconfigures within itself the notion of exoticism—the same notion that in times of social disintegration gives some leeway for the possible construction of an identity based on the splendor of ancient Mexico. Exoticism—that space of the Other—is distinguished in this country as that which is not strictly European. It is a notion that functions like a mirror: in private, one is that which is not reflected to others. It also implies an aspiration to remaining unpolluted by Western culture, which many intellectuals already considered decadent by the early 1920s.

It is at this point that indigenous cultures were adopted as "the novelty of the fatherland"—they became that mirror which, paradoxically, far from verifying the existence of diversity, displayed faces through which an identity could be acquired, thus presenting certain differences within the "concert of nations." When directed outward, emulating the indigenous and reinventing it constituted resistance to homogeneity, but directed inward it operated in the inverse manner.

The image of the Tehuana was transposed to other paintings and painters. Roberto Montenegro placed them in strange surroundings, empty and ambiguous spaces, framed by rectangular walls, in trance or meditative states, silent in the face of pain, pensive before the irremediable fate of life and the melancholy of separation. Montenegro's canvases, *Mujer con pescado* (Woman with Fish, 1928), *La curandera* (The Healer, 1928) and *Adiós* (1935) reintroduced the hieratical and archaic silhouettes of Rivera's Tehuanas, alluding to questions concerning life and death, to his thinking about existence. Daily life on the Isthmus was no longer the only theme related to the Zapotec woman, given that by then her iconic value was equally pertinent within another symbolic order: that of the individual.

Paradise and tropics, female bodies and natural fruits—Tehuanas and national femininity are ideas which establish fertile associations. Woman as connected to the Other, to a place beyond rationality, was a perception that was consolidated within urban culture by the beginning of the 1940s. *Translated by Richard Moszka.*

A Southward View

Miguel Covarrubias

THE most conspicuous asset of Tehuantepec is its women. Their costume, beauty and tropical allure have become legend among Mexicans in the way that South Sea maidens appeal to the imagination of Americans. It is these women—from the age of ten to eighty—who run the market, which in a woman's town is the most important of Tehuantepec's institutions. The market stands at the side of the square—an enormous roof of rough poles and mossy tiles supported by thick old columns painted half-maroon, half-beige, with the woodwork under the roof a pale pink. The appearance of the old market has been defaced, its function improved, by recent additions of brick and concrete. Against this background of pastel colors the women of Tehuantepec meet every morning and every evening for the things they enjoy most: selling, buying, gossiping, showing off their bright clothes, seeing one another and being seen.

It is still dark when the first arrivals begin to set up their stands at the market: the chocolate- and coffee-vendors and those who sell bread, tamales and cheese for breakfast. It is only then that men may be seen in the market, early risers on their way to work. Sunrise greets the vendors who arrive from all directions carrying everything on their heads: women from neighboring San Blas balancing high piles of *totopos* (large baked corn wafers) wrapped in a white cloth striped with blue or red; women from the orchards with great baskets made to hold over twice their capacity of fruits and flowers by an extension of banana leaves supported by sticks of bamboo; and girls with baskets of coconuts, loaves of brown sugar, pottery or a table and chair to set up a refreshment stand. A favorite subject of Zapotec poets is justified praise of the carriage of their women when thus loaded. They glide majestically with a rhythm and poise that defy description—motionless from the waist up, their ruffled, ample skirts rippling and swaying with their lithe steps.

They set up their stands in traditional places, spreading their produce on the ground while the buyers come and go among them, chattering, bargaining, clapping hands unselfconsciously to attract one another's attention. The buzz and hum of the market increase as the morning progresses, dwindling away at noon when they all go home to lunch.

They return in the late afternoon for the evening market when they sell sweet bread, tamales, cheese and other food for supper.

The railway track, used as a thoroughfare, crosses the town and enters the great iron bridge that spans the sandy beaches and brown waters of the Tehuantepec River—a narrow catwalk of loose planks clanking with constant human traffic. Half-naked women bathe and wash clothes, children splash in the shallow waters, and water-carriers dig square pools to filter the river water they sell in town at a burro-load of four ten-gallon gasoline cans for ten *centavos*. These water-carriers are also Zapotecs, but they come from the remote valley of Oaxaca—*vallistas* they call them in Tehuantepec—and they speak a different dialect from the Zapotec of the Tehuanos. These latter look down on the *vallistas* with a certain pity and contempt for not being as neat and clean as themselves and for living miserably in flimsy huts on the river shore.

Tehuantepec has an intense ceremonial life that—though related to saints and churches—cannot be called Catholic because these saints and churches are only pretexts for long-drawn and elaborate festivals continuing the Indian ceremonial of pre-Spanish days. Tehuantepec was once the seat of the diocese, which was later moved to San Andrés Tuxtla. Near the plaza still stand the ruins of a great sixteenth-century monastery built for the Dominican friars by the Zapotec king Cosijopi. Only a part of this building is used today. It houses the town jail and a chapel where marriages take place. This chapel—pompously called "the cathedral"—was rebuilt out of cement by Doña Juana Romero in the 1890s. There are many little squat churches, however—one for each of the twelve wards (*barrios*) into which Tehuantepec is divided. These churches are the property of the people of each ward, and a full-fledged Catholic priest is seldom if ever seen in them. Here the people hold the barrio festivals once a year when the day of the barrio's patron saint comes 'round. The barrio system is perhaps a combination of the ancient clan organization of the original inhabitants, modified by the Spaniards for the purpose of the communal maintenance of religious festivals. Already in 1674 Francisco de Burgoa wrote of eighteen barrios in Tehuantepec on the northern shore of the river, with about a thousand families. Some of the barrios have distorted Zapotec names while others bear only the name of their patron saint. Still others like Totonilco, Jalisco and San Blas Atempan have Náhuatl names that hint at Aztec settlements.

The name Tehuantepec is a Náhuatl word meaning jaguar hill—a name given in Zapotec as *dá:ni gie' be'zè* (hill of the stone jaguar) to the principal hill around which Tehuantepec is built. This was undoubtedly a sanctuary of jaguar-worship in the old days. The hill is reached by a rocky path through the scraggly brush—thorny and aggressive. On the summit stands a small white chapel, probably on the site of the adoratory of the jaguars. Inside there are only a simple cross and dry flower petals from the last offer-

ings—nothing to recall the eerie jaguars except the rainspouts of locally made clay pipes ending in crude jaguar heads. In a cave behind the hill a primitive jaguar is painted on the rock. The legend of the hill is still well-remembered in Tehuantepec: "Jaguars of a particularly bloodthirsty type infested the hill, killing and terrorizing the inhabitants. The townspeople appealed to a famous Huave sorcerer to exorcise the jaguars. To this end he caused a gigantic turtle to come forth from the sea and crawl slowly to the hill. The monster reached its base just as the jaguars descended in a double row and upon sight of the turtle they were paralyzed with fright and were turned to stone. The Zapotecs were equally terrified by their liberator and begged the Huave sorcerer to dispose of the turtle, which he did, turning it conveniently into a great rock at the foot of the hill." The Tehuanos who knew the legend could see the remnants of the animals in the great rocks at the foot and at the summit of the mountain.

ISTHMUS BODIES

The Tehuanos are in the majority Zapotec Indians with a good measure of blood from practically every race in the world. Tehuanas have always taken easily to foreigners, and the many Spaniards, Frenchmen, Americans, Irishmen, Near-Easterners, Chinese and Negroes who have passed through the Isthmus or have lived there permanently have all left unmistakable traces in their wake. The mixture that resulted, together with the famous and becoming costume of the women, accounts for the reputation for beauty and allure that the Tehuanas enjoy throughout Mexico.

The Zapotecs are generally small but well-developed, with sensitive hands and rather large but well-made feet, with the toes spread apart as with all peoples who go barefoot. Men are taller than women despite the popular belief to the contrary, induced no doubt by the grandiose character of the women's costume and by the comparatively rachitic appearance of the men. To be slim in Tehuantepec is a sign of poor health, and women compliment one another with "How fat and luxuriant (*frondosa* in the sense of a great leafy tree) you look!"—their equivalent of our "You are looking very well." There is a tendency toward plumpness, and "luxuriance" is indeed the most fitting adjective for the Tehuanas—monumental, solid, strong flesh. Men like their women substantial, and a woman of normal weight among us would be considered skinny in Tehuantepec.

As among all people who live close to the soil, women age sooner but more gracefully than in our modern cities. Women of advanced ages perform heavy daily work, and elderly people retain a vigor that could be envied by our younger generations. Elderly men are endowed with the calm, superior expression of wisdom of pastoral peoples, and the old ladies are dignified and handsome; their skins become leathery but their bodies remain lithe and wiry, and their features—as they grow more angular and deep-etched—show more pronounced Indian traits.

A Passion for Fashion

The costume of the Tehuanas is one of the country's greatest assets—picturesque and charming, elegant and alluring, it brightens the bare, arid landscape with brilliant touches of color and with lively, graceful silhouettes. It makes every Zapotec woman a queen—a composite image of Egypt, Crete, India and a gypsy camp. Zapotec poets never tire of writing in praise of the flowing lines, the stride and carriage of their women. In the rest of Mexico it is the most popular and becoming of the regional costumes, and no musical comedy or masquerade in Mexico City would be complete without a good sprinkling of synthetic Tehuanas. To the average city Mexican, a Tehuana is as romantic and attractive a subject as a South Sea maiden is to an adolescent American.

It is hard to believe that the primitive Indian women of remote Tehuantepec are as conscious of clothes and as fanatical about fashions—their own fashions—as their civilized sisters in the north. As among us, these women have always been known for a passion for expensive stuffs and colorful clothes; they have definitive and immovable rules as to what is right or wrong in clothes and as to what to wear for a given occasion. Furthermore, they have changing fashions which they observe scrupulously—a rather unusual feature for rural, conservative communities. Theirs is a society of women, run by and for women who work hard to earn the money to by silks, lace, velvet and ribbons. They labor even harder for months at a time to make dresses for themselves and embroider clothes rich and fashionable enough to allow them to feel the smug satisfaction of being well dressed, to provoke the envy of other women and, incidentally, to incite the admiration of their men.

In Tehuantepec last year's styles do not enhance a woman's standing as a smart member of the community. Whether she be a prosperous landowner, a peasant's barefoot young daughter or his matronly wife, a Tehuana must have not only the finest but also the most fashionable clothes in which to appear at the endless festivities. Although she may earn only a few pennies at the daily market selling flowers, fruit, chocolate or cheese and may live in a house of mud and thatch, she saves, slaves and maneuvers to buy herself a costume in the latest style to display at the coming ball or to "knock them dead" at the festival of the neighboring town. Every day busy women of all ages parade in costumes so rich and brilliant and with such spectacular loads of fruit and flowers on their heads that you cannot believe they are only going to the market or are simply on their way home from work.

The usual everyday dress of Tehuanas consists of a full, white underskirt—the only underwear—worn under a longer and fuller skirt reaching to the ground. This skirt (*rabona* in Spanish, *bisu'di* in Zapotec) is made of brightly colored cotton print edged at the bottom with an eight-inch ruffle that flutters gracefully as the woman walks—or rather glides—over the sandy streets of Tehuantepec. The feud of Tehuantepec versus Juchitán is evident in their differences on fashion. Not only does each town claim to have the most beautiful and best-dressed women, but what is law in colors and styles in Juchitán is taboo in Tehuantepec and vice versa. The Tecas (short for Juchitecas) deride the width of the Tehuanas' ruffle and wear theirs a full sixteen inches wide. To the Tehuanas this is shocking evidence of the Tecas' poor taste. The reason for this remains a mystery, for all the old photographs of Tehuantepec ladies we ever saw showed ruffles even wider than those worn today in Juchitán.

A modernized version of the traditional Indian huipil completes the dress. The Tehuantepec huipil (*bida:nì wi'nì*) is a short, low-cut blouse or bodice, a yard and a half of muslin folded in half with a hole for the neck, sewn at the sides leaving two armholes in the exact measurements of the wearer's arms. The huipil is lined with a cheaper cloth to keep the blouse from wearing through at the breasts. The colors of these huipiles are traditional and have remained unchanged in the twenty-odd years we have known them: dark purple, red, deep crimson or vermilion, either plain, polka-dotted or with a sparse all-over pattern of leaves and flowers. The materials for these huipiles used to come from England, from the textile mills of Manchester, made specially to sell on the Isthmus and nowhere else. Today the market has been captured by local Mexican manufacturers, but elderly Tehuanas still sigh for the good old rock-fast Manchester cottons.

It is the fashion of today to decorate the huipiles with a wide band of elaborate geometric design done by the laborious process of actually weaving a solid pattern by crisscrossing superimposed lines of chain-stitching, done on a special Singer sewing-machine, with thread of contrasting, traditional colors: lemon-yellow and red for the purple huipiles, yellow and black for the red ones. The designs on the huipiles are also subject to changing fashions. They have gradually grown more and more elaborate, and new designs are always being introduced.

During our last visits the women of Juchitán had developed a fine geometrical pattern of extremely complicated workmanship, which they had strangely named the *jaibera* (crab-vendor) design. It became so popular that all of Tehuantepec adopted it immediately, unmindful of its place of origin. Before the *jaibera* design became the rage it was fashionable to embroider the huipiles with a new chain-stitch needle or hook that made delicate, filigree-like patterns of flowers.

The women go barefoot, except those of the "better" classes who always wore shoes. Old ladies with poor feet have taken to wearing men's sandals. Little girls dress exactly like their mothers to the last detail but at home wear nothing more than hair-ribbons and a pair of scant panties.

The Zapotecs of the Tehuantepec area are true democrats, and economic differences do not mean much in social intercourse. A barefoot peasant has always enjoyed the same treatment at a feast as the gold-bedecked wife of a landowner. In every town, however, there is a small aristocracy of citified girls who bob their hair and wear shoes, stockings and tight-fitting modern dresses—unbecoming in comparison with the stately, elegant and colorful native costume. People in modern dress—symbol of the ruling class—have introduced a new type of social snobbery, and the population is now sharply divided between people of *vestido* (modern dress), people of *holán* (wearing ruffle) and of *enredo* (wrapped skirt).

Caracol Purple Skirts

Elderly women still cling to the conservative wrapped skirt of pre-Spanish days (*bisu'di renda*), which consists of two lengths of hand-woven cotton cloth sewn together to give it the necessary size: two and a half yards long by one and a half yards wide. This is worn wrapped around the waist, held by a sash and reaching down to slightly above the ankles. Ordinary skirts come in dark blue, dyed with native indigo, or in brilliant red with vertical stripes in yellow, white or dark blue. The long, close-fitting lines of the wrapped skirt give the lithe and wiry old ladies a simple archaic dignity that contrasts with the ample elegance and stateliness of younger women dressed in ruffled full skirts. The huipil worn by elderly women is dark and simple, without embroidery. It is shorter than that worn by the younger women, and a strip of skin is visible between the hem and the belt when the arms are raised. Their gray hair is braided and tied around the head with black ribbons, and it is customary for old ladies to wrap their heads in a large black or white silk handkerchief. Today most elderly women wear the universal long black shawl that has replaced the old headcloth that hung loosely in the back to just below the waist.

This page and the previous page: Miguel Covarrubias. Illustrations from *Mexico South*.

For ceremonial occasions vain old Zapotec ladies indulge in expensive wrapped skirts of *caracol* (murex) dyed with a rich, absolutely permanent purple obtained from the excretion of a rare snail. The thread with which these skirts are woven is dyed by the Chontal Indians of Huamelula and Astata, two small villages on the rocky and desolate Pacific coast. Twice a year, during a certain phase of the moon, these Indians wade out to sea and—with the mazes of cotton thread about to be dyed wrapped around their forearms—search the crevices and rocks for the minute snails. They pry the mollusks loose from the rocks with great care so as not to injure them, for they become rarer every year, and then they blow hard on the animal to irritate it so that it will excrete the slimy dye that they collect on the thread. The animal is then placed back on its rock unharmed, to be squeezed out again next time. Salt water and the sun do the rest: the color changes from lemon-yellow to chartreuse-green and finally to a beautiful dark purple. Snail-dyed thread is naturally rare and expensive, and the weavers of Tehuantepec keep long waiting lists of old ladies who are willing to pay from fifty to one hundred pesos—the equivalent of a month's wages of a husband or son—for one of these purple skirts.

The vile smell, like that of rotten fish, that clings to thread dyed with the snail even after years of repeated washings does not make the skirts any less desirable. In fact, old ladies assured us they like the smell because it is final and conclusive proof of authenticity. Every self-respecting, well-dressed old Tehuana owns a snail-dyed skirt and would not sell it for its value in gold. They become so attached to these skirts that they often include among their last wishes one to be buried in a purple skirt, because—they claim—snail-dyed thread never rots away.

The Opulence of Gold

The gala dresses of women are made of satin or velvet and are often worth hundreds of pesos. They consist of a skirt and huipil that match, decorated with exceptionally fine wide bands of machine-stitched geometrical design or covered with large flowers copied from Chinese shawls, embroidered in bright-colored silks on satin or black velvet. The ruffles that border the skirts of these gala dresses are made of starched lace finely pleated by hand. The edge of the ruffle drags on the ground, which is almost always plain dirt if not mud; the laboriously pleated ruffle can be worn only once. It takes a woman a full two days to wash, starch, and pleat the four or five yards of lace with a heavy old-fashioned flatiron.

No party dress would be complete without a good display of gold jewelry. Like gypsies or the Ouled-Naïls of North Africa, the Tehuanas put their entire fortunes into heavy gold necklaces, brooches and ear-pendants of coins—five-, ten- and twenty-dollar U.S. gold pieces, English guineas, minute Guatemalan dollar gold pieces and huge old Mexican fifty-peso *centenarios*. Many of these coins date back to the days of the building of the Tehuantepec Railway when gold flowed through the Isthmus; and though gold-buyers

have combed the region for the Tehuanas' jewelry, it is not unusual to see a girl or a middle-aged woman who did not succumb to the tempting prices still wearing over a thousand dollars around her neck. Those who have been compelled to sell their gold go to the balls wearing silver-gilt jewelry studded with Mexican silver pieces dipped in gold and worn on the side of the national coat of arms, which is identical with that displayed on the now vanishing gold coins.

The Most Precious Huipil

The most spectacular garment of the Tehuanas is a headdress of starched, pleated lace seen on important ceremonial occasions. It is called "head-huipil" or "great huipil" (*bida:niró*), and is in reality a little coat of silk mesh or lace with collar, sleeves and a border or peplum of starched and pleated lace, trimmed with silk ribbons.

This is worn in various ways according to the occasion. For going to church the ruffled collar frames the face, the rest covering the shoulders like a cape and the sleeves hanging, one in front, the other in back. For other festival occasions, to promenade or to go to market—always an important event—the wide lace peplum is thrown back over the head, with the rest—collar and sleeves—hanging in back. The stiffly pleated lace forms a glorious headdress, with rays of crisp white radiating from a girl's face in a manner reminiscent of the feather war bonnets of the American Plains Indians.

Reprinted from Miguel Covarrubias, *Mexico South: The Isthmus of Tehuantepec* (New York: Alfred A. Knopf, 1946).

SHARED PRESENCE

A Second Skin

Annegret Hesterberg

OVER the last 200 years, many visitors to the Isthmus of Tehuantepec have left written testimony of their impressions. The women of the Isthmus are typically assigned a unique status with regard to other indigenous women of Mexico, and are characterized as independent, strong-willed, brave, free and proud. Their exuberant physique runs counter to the Western ideal of beauty; nevertheless, they are perceived as exotic, aristocratic and even regal.

Such impressions may be attributed to the positive view that the Zapotec Indians take of their ethnicity. The Isthmus has been the site of constant cultural confrontations stemming from its role as a trade center. However, its inhabitants have developed a series of tactics to help preserve their cultural identity.

One such tactic is the fabrication and use of regional costume. What would a woman of the Isthmus be if dressed in jeans and a T-shirt? Clothing may not make the man, but it certainly transmits the image the wearer wishes to project, in a way that cannot be achieved by any other means. It is a "second skin" but unlike the body, it is the product of free will. Its creation and transformation are determined solely by its materials, techniques, ornamentation and usage. Every style of dress is a conscious or unconscious reflection of the wearer's personality. This

interpretation may seem irrelevant to ethnic costume, which frequently exhibits forms handed down through the generations and fulfills the important function of characterizing the wearer as belonging to a determined group. But even ethnic costume is not static, as it undergoes constant alterations which may—under certain circumstances—incorporate elements that reflect changing attitudes toward the body.

Tehuana costume has remained virtually unaltered for over a century. Thought to date to pre-Hispanic times, the *huipil* is a tunic whose rectangular cut may derive from the structural limitations of the backstrap loom. Today on the Isthmus it is close-fitting and hip-length, and mainly made from industrial, synthetic textiles. Its design is determined by the wearer's body shape and tastes, but is subject to certain rules which respond to various social factors. The hand-woven *enredo* (wrap skirt) has nearly disappeared from the Tehuana wardrobe, having been replaced some 140 years ago by two garments which were variants of urban fashions of the time. In its place, women wear the *falda* or the *rabona* for everyday use. The falda consists of several trapezoidal lengths of cloth falling in a bell shape to the ground. The rabona is also floor-length and is generally made of a light chiffon-type material with a straight cut, slightly gathered at the waist, and trimmed by a flounce of the same material along the bottom. For special occasions, the *enagua de holán* is worn. Made of velvet or a synthetic satin called *piel de ángel*, this garment consists of three straight lengths of fabric gathered at the waist and trimmed with a pleated ruffle of white lace (usually synthetic) at least twenty-eight centimeters wide along the bottom.

All three skirt types reach a circumference of no less than three meters at the hemline which, depending on the type and quality of material,

Gabriel Fernández Ledesma. *Portrait of Chabela*. 1934.

results in a voluminous garment offering great freedom of movement. The skirt is worn over a white lace or openwork petticoat. The ornamentation generally consists of floral motifs, either on printed textiles for the falda and the rabona, or hand-embroidered as in the case of the huipil and most enaguas de holán. An endless variety of geometrical designs can be achieved with the help of the old Singer embroidery machines dating from the turn of the century.

All huipiles may be combined with any style of skirt, regardless of their ornamentation. Only the enagua de holán requires combination with a matching huipil. The ornamentation is always multicolored, and each piece features a unique palette of colors. The outfit is accessorized with heavy chains of large gold coins and matching earrings. The *huipil grande* often worn as a headdress at fiestas consists of a lace blouse with *faux* sleeves that are purely decorative and lace trimming on the hem and neckline.

But the outfit is nothing without the woman wearing it: any visitor crossing the main square of one of these Isthmus towns or passing through the market comes away with a strong impression: the women's erect posture as they walk, often balancing baskets of goods on their heads, each wearing a different combination of hues that shimmer in the bright sun, vying for attention with the colorful flowers and produce. Others sit on the ground with their legs splayed, calling out their wares at the top of their lungs. One hardly knows where to look first, but there is no doubt that none of the women can be ignored. Their strong personality is emphasized by the costume, both for its design and for the striking kaleidoscope of colors.

Corpulence is taken as proof of health and well-being and as such, is not camouflaged but rather proudly displayed. The huipil is close-fitting with tight armholes. The voluminous skirts fuse with the female figure to create the impression of greater size, and even to enhance her majestic image. Flügel holds that this more forceful physical presence is evident to the observer but also provides the wearer a greater awareness of her own existence. Standing, the Tehuana's conical silhouette suggests stability and firmness. Her hips are thrust forward and her feet —shod in comfortable sandals—are firmly planted. This woman is a tower of strength. In motion, she is even more dignified. The different skirt styles do not restrict movement but rather give the active Tehuanas greater mobility. The flounces and lace rustle elegantly along the ground while the skirts swing to and fro, adding to the wearer's grace and dynamism. These observations apply to both everyday and gala attire, though the latter also exhibits other characteristics. Dancing the traditional *sones* is only possible in the gala costume. Not a dance in the usual sense, a *son* bears more of a resemblance to a slow regal walk during which the enagua de holán is raised with both hands and extended forward slightly to stretch the skirt out to its full width, thus displaying the ornate underskirts and turning the dance into a lovely game of peekaboo.

The most spectacular accessory by far is the huipil grande, worn in one of two different fashions as circumstances require. For religious ceremonies, it is worn covering the head leaving only the face visible, framed by the lace-edged neckline. The rest of the headdress falls over the shoulders and upper body, hiding the female form completely. The silhouette becomes entirely conical, similar to many images of female saints or virgins. On other occasions it is placed in such a way that the lace edging of the lower hem stands out from the head like a crown, forming an apt frame for the wearer's face, hair and torso, emphasizing rather than concealing the female attributes and stylizing the lines of the body.

Zapotec society places great importance on the prestige derived from gala attire—for the textiles used, the maker's renown and how often one is seen sporting a new outfit. It should come as no surprise that despite "globalization" and the hustle and bustle of contemporary society (to which the Isthmus region is not immune), dress still exercises the same power, given that Tehuana costume acts as a form of self-representation to a degree that modern attire can never achieve. The women of the Isthmus have many faces: they are attractive, active and independent; they are mothers, "virgins" and queens, and they display all these aspects in their costume. The result is a "presence" which cannot be ignored. In Giebler's words, "Their clothing, physical presence and personality form a cultural whole that leaves a strong impression on every visitor to the Isthmus of Tehuantepec, leading this society to be classified as matriarchal." 🐚 *Translated from the German by Johannes Weber.*

RECONSTRUCTED PRESENCE

My Clothing, My Self: Frida Kahlo

Lourdes Andrade

HAD Frida Kahlo's relationship to her body not been so complex, so ambivalent, it would not be interesting to analyze the way she clothed it. That wounded and tortured body, like a baroque Christ or a victim of the pre-Columbian gods… That playful and joyous body, like the watermelons which add a touch of red to her still lifes, like the papaya whose open slit resembles a vulva, like the juice of prickly pears bleeding onto a plate. The fruity, earthy body which was her greatest pride and her greatest sorrow. That body, a reflection in the mirror to which she obsessively clung.

Her self-portraits, dressed in the typical style of the women from the Isthmus of Tehuantepec, are legendary and lead us to consider the extent to which her attire was actually a part of her. Her clothing was her self, not only covering and concealing her, not only placing her on display and making her an object of admiration, but also giving her an identity. And in the chronicle of her own suffering proffered by her painting, clothing is a key narrative element.

Through her ethnic costume, Kahlo identified with common folk and the indigenous population. Her desire to insert herself into Mexican culture describes her generically and ethnically and establishes her position within the context of post-Revolutionary nationalism. This was her manner of taking a stance as an intellectual, as a sympathizer with the oppressed and with her country's traditions. Kahlo created both an œuvre and a personage—herself—whose roots are reflected in her style of dress.

But there is something else: for a woman like Kahlo, whose every idea became an obsession, her love for Diego Rivera defined many things. *Geografías imaginarias*, the excellent essay by Aída Sierra, recounts how, through Vasconcelos's influence, the Isthmus became a local version of paradise for Rivera upon his return from Europe. Its sensual flora, languorous women and lush, colorful landscape made the South a yearned for and exotic place which he rendered in his murals at the Ministry of Education (SEP). Once married to Rivera, Kahlo adopted Tehuana dress and this became another way of attracting her husband, of drawing his attention and attempting to hold on to him. With her long neck, svelte figure and straight back, Kahlo's lofty presence reflected the dignity of Isthmus women, projecting a haughty aura that defined her strong personality—with autochthonous features.

Thus, it is certainly significant that in 1940, after divorcing Rivera, Kahlo shed the Tehuana costume and portrayed herself in a man's suit like the one she adopted in the period following her accident, and in which she appears in several photographs. In *Autorretrato con el pelo cortado* (Self-Portrait with Cut Hair, 1940), she not only sports male clothing but also close-cropped hair. Her locks scattered on the floor symbolically express the notion that with her separation from Rivera she also let go of her feminine identity—the part of herself which could be loved by the muralist.

Indeed, this act gives us a sense as to the extent to which her guise was part of a somewhat artificial—or artful—personality that she created and re-created in her self-portraits. Octavio Paz pointed this out on comparing her to María Izquierdo, remarking that "Kahlo's clothes […] [covered up] a complex personality, far removed from the populace." Delving into the artist's personality, Paz described its ambiguity and provided what may be the key to interpreting her obsession with her own image: the mask covering her face and the costume enveloping her body expressed a desperate desire to exist. The traditional garb became a way of protecting her intimacy while constantly flaunting her exterior self. A personage was created so as to better cloak her own self and maintain the equivocal nature of her essential being.

But there is another possible dimension in the perception of Kahlo's identity as a Tehuana. Portrayed in her traditional outfit, she appears to us with an aura of saintliness or divinity stemming from certain constant representational elements. The first is, of course, her clothing. By rejecting modern apparel—that is, more contemporary than traditional Zapotec costume—Kahlo placed herself in a different time frame, running in a circular or cyclical pattern rather than linear historical time. This contributed to her acquiring a dimension that goes beyond that of everyday life. Of course her dress also placed her in "another" space—the paradisiacal landscape of the Isthmus, which Rivera and so many others perceived as utopian. We are dealing with a timeless creature from a place that is more legendary than geographical.

But even in this otherworldly environment, Kahlo is not shown to us as a mundane being. She takes on the dimensions of a goddess or a virgin, and this supernatural essence is also defined by her grooming. To begin with, her outfit is showy, majestic, imposing, sometimes accentuated by the typical Tehuana headdress she wears with it. In *Autorretrato como tehuana* (Self-Portrait as a Tehuana, 1943), the lace frill around her face imbues her with the splendorous appearance of a star surrounded by its corona, with her face forming the core. She has flowers in her hair with countless tendrils emanating from them and from the headpiece, creating the image of a radiant goddess of vegetation. Examples abound, but in particular, I would like to compare her to two pre-Columbian figures with similar characteristics. One is the plumed serpent's head rhythmically repeated on the sides and tiers of the Pyramid of Tláloc and Quetzalcóatl in Teotihuacan. The other is the face of the fifth sun at the center of the circle of the so-called Aztec Calendar. This idea of a face framed by some element as a manner of accentuating its beauty, power or prestige gives Kahlo's visage the dimension of an archaic deity.

We also have the series of photographs taken by Fritz Henle in 1936. In several she appears with the traditional Mexican shawl, or *rebozo*, covering her head. Some of them clearly bring to mind a virgin, especially the Virgin of Guadalupe. She thus not only identifies with her nation but also with its mythical "mother"—even though she herself was sterile. In those shots where she appears with her head uncovered, her hair is braided with colored ribbons and pulled up into sometimes highly elaborate twists.

One more element that helps highlight her superhuman image is her jewelry. Tehuanas are distinguished by their magnificent gold jewelry, and Kahlo's—both authentic pieces and imitations—evokes the pre-Hispanic world. The gods tended to wear gold as a symbol of their greatness; likewise Kahlo, in *Autorretrato con mono* (Self-Portrait with Monkey, 1938), *Autorretrato con trenza* (Self-Portrait with a Braid, 1941) and numerous photographs such as one taken by Imogen Cunningham in 1931. Some of her necklaces and earrings may still be seen at the Frida Kahlo Museum in Coyoacán, Mexico City.

All this combines with her grave expression and strong features to lend her the hieratic and haughty air of a proud and distant pre-Hispanic goddess, often depicted in a lush, tropical and exotic setting.

Each element contributed to constructing her image, opening a route by which she is identified and connected with a mythological universe. Given that she placed herself in the Mexican world, this universe is the pre-Hispanic pantheon.

The gaze of the Other strengthens Kahlo's theogonic identity. The text that André Breton dedicated to her in 1939 is testimony to her legendary and mythical dimension.

The opening passages of Breton's article "A Memory of Mexico"—"Red land, virgin land, irrigated by noble blood"—are a kind of complement to the words he chooses to begin his text on the artist: "Where the world's heart is exposed…" In both cases he alludes to the "immense body" within which the essence of the Mexican soil is diluted, and also to the female body. Further on, he evokes Kahlo's telluric nature and deific dimension: "…that red soil, from which sprang the half-woman, half-cicada Colima figurines with their flawlessly painted faces, […] in short, resembling them in her bearing and bedecked as a legendary princess, with a spell at her fingertips, in an arrow of light from the quetzal bird that scatters opals over stony flanks as it flies—Frida Kahlo de Rivera…" This is how our painter appears, like a queen, like a goddess, and one reason she had such a strong impact on the author was for her physical appearance. Breton presents a vision of Kahlo "with a dress of golden butterfly wings…" and characterizes her as possessing the qualities of "cruelty and humor capable of fusing the rare affective powers that in conjunction, form the filter whose secret belongs to Mexico." Thus he bestows the country's magical properties upon Kahlo and situates her in a space between dreams and reality—the space of surrealism.

While Rivera created a legend around his persona and managed (by his own merits) to insert himself into the revolutionary myth, Kahlo contrived her personal image as a fabulous being. Woman-plant-volcano-insect, draped in flowers, she who was biologically barren played out her role as a fertility goddess.

Nevertheless, despite the interesting and attractive details of the construction of this public persona, there is also a somewhat unsettling side. The cult she generated around herself and her work has taken on shades of fanaticism within certain academic circles, particularly among U.S. feminist intellectuals. It should be taken into account that such fervor is not incongruous with Kahlo's own attitude, having lived surrounded by icons of her idols Marx, Mao and Stalin whom she venerated with the same absence of critical thinking. This distinctive kind of wholesale reverence may be noted when approaching certain feminist critiques of Kahlo's art, and one might ask, what is it about her they are celebrating? Is it her suffering, or her morbid and brazen way of displaying it? Is it her love for Rivera, or the Pantagruelian element in her masochistic manner of dealing with that sentiment? And despite the recognition given to her great talent and lucidity, the unquestionable caliber of her artistic production and her courage

as she coped with her pain, the fact that she is taken as a paradigm remains disconcerting, particularly as this insistence on her misfortune tends to detract from her work's power. In this sense, I have to agree with Paz's keen observation on the subject: "Sometimes, I must confess, that pathos overwhelms me, moving me but not seducing me. I feel as though I were standing before a complaint, not a work of art."

It is strange how certain elements that have nothing to do with talent may affect an artist's production positively or negatively. In my opinion, Kahlo's physical afflictions worked both ways. What is relevant here is the importance Tehuana costume acquired in her painting as a way of covering her damaged body and projecting multiple meanings onto it. 🐚 *Translated by Lisa Heller.*

Visions of Juchitán

Agustín Yáñez

The Bride. The bride dances the rite of the Zandunga and her soul rises as she dances. The Zandunga has the soul of a bride. This is not just a marimba anymore. It is the wind brushing past the brass section and escaping through the flutes' windows to the beat of a drum. The music spreads itself out for the dance, like a carpet the color of old gold: a golden melody that has come to the wedding from the house of Time Everlasting, at the sacred heart of the race. The bride hears the melody and steps forward to meet the ancestral male. The bride's soul is candid, serene, delicate. A slight fixed smile—of resignation and hope—shines on the bride's face. The groom spins surprises—in concentric circles—and the dove spins absentminded defenses, always facing the sparrow hawk. The bride dances languidly, reverently, with cautious steps, slowly swinging the folds of her magnificent huipil back and forth. The circling stalker draws back. A glimmer of irony in the bride's smile. Her aristocratic bare arms dance, gently raising the flounces of her skirt, swaying them from side to side and forward, in a revelry of froth. The groom storms the beach. The billows of lace ebb, and undefiled, the maiden retreats with dainty, impassive steps. The flight of the sparrow hawk turns chaotic, frenzied. The Zandunga's arms and pleats dance ever so slightly, the bastion of chastity unvanquished, head held high, her floral torso solid and stalwart. The groom's head bows under the weight of his desire, like a bull preparing to charge. Once again, high tide, and then the onslaught. The groom's steps leap in fury. His arms swing loosely, limply; his flesh grows weak; his spirit soars in a slow, provocative evasive action. The Zandunga has the soul of a bride: untouched by dishonor, it blossoms.

The Groom. A blister of razor-sharp blood, circular, jumpy as a rook or as quicksilver. Curly hair and a dagger-edged tongue.

Nancy. Nancy is all eyes and smile. When spoken to, it is her eyes and smile that respond. Enigmas, the eyes and smile of this ten-year-old girl.

The enigmas, vices and virtues of her enigmatic race blossom within her. She knows the language of Christians but never uses it. She speaks her people's language with the women of her household. Eyes and smiles are plenty enough for strangers. Fate has drawn bright stars in Nancy's mouth and eyes.

Hortensia. Hortensia is solicitous and efficient. Silent. Hortensia is a maiden of wide green eyes and fresh pink skin. Hortensia comes and goes, her feet and mouth bare, through the house, the courtyard, the kitchen and the market, with bare feet and a rich variety of huipiles. She does not speak, she does not ask: she is psychic. When her guest imagines some mouthwatering dish, she has already brought it to the table. When someone fancies a refreshing bath, she has already prepared it. Whenever a guest speaks to her, Hortensia acts as if she has not heard, and if the guest insists, her answer is brief yet adequate. Even though she never seems to hear or speak, the guest's wishes are always immediately fulfilled.

Before long you will have no need of words because—closely observed—Hortensia's eyes possess a surprising expressive force. She seems removed from all situations, but her expressions and faint smile—whether sweet or ironic—reflect the subtlest details of the world and the people around her. The sweetness or irony of her silences discloses her affections and aversions. She is present—with an air of absence—in all that is insignificant and momentous: when she does the marketing and when she embroiders lovely fabrics, when she stirs the fire and when she serves the meal, when she irons the lace on her huipiles and when, covered in jewels, she makes her way to some party.

Back then she attended the *velas*: the grand vela and the small vela under the canopy in the central plaza; the Biadzi and the Che-guig-o velas. Her prudent, malicious eyes danced, as did her quick Zapotec words from time to time as she shared some observation with her sisters; but she would not get up from her seat when men asked her to dance. Her eyes glittered amid the splendor of mirrors and paper curtains in purple and green, mauve, gold and silver: ornamentation for the velas. She would smile disdainfully like a princess of yore, back when the gods dwelled alongside men. The next morning, she would return—barefoot, solemn—to her humble duties: hauling water, marketing, cooking…

Honorato. It is by subterranean rivers of the consciousness that the men who work with Honorato furnish the epic tale of this man's life, affectionately calling him Don Honor. This nickname is a portrait of the young patriarch in profile and face on, as a bust and as a statue. Sober and forceful, vigorous, courteous, unobtrusive, distant, near, able, quick, wordlessly eloquent: could Honor ever be anything else? That is why the men of Juchitán respect and follow Honorato—reserved without being enigmatic and staunch for his firm resolve.

Flérida. Flérida is a fruit vendor at the Juchitán market. She arrives very early in the morning to set up her charming stand. Flérida and Flérida's fruit stand are one of the seven wonders of Juchitán. Her sleight of hand flying to and fro as it cleans and lays out the fruit is something to be seen and enjoyed: flying leisurely as it emerges from laden nets and massive gourds and rises to heart level, then makes a smooth descent to the airfield—the woven straw mat where, with finesse and discrimination, Flérida

assembles *quintos* of chicozapotes, mangos, *capulines*, nanches, plums, bananas, oranges, *limas*, limes… and *tercios* of pineapples, soursops, papayas, watermelons, cantaloupes, chirimoya… Flérida's tenderness is something to be seen and enjoyed as she places the fruit in her lap, wiping dust, lint and syrup from them like a mother cleaning her children's faces on their way to school, and then carefully forming them into little piles like a little girl at play, distractedly building castles for her dreams. Castles in the hot and shifting sands of popular appetites. Appetites whose sight, smell, taste and touch demolish those delectable fortresses. Mother to her beloved daughters in marriage, childbirth, absence and burial, Flérida's face lights up with joyous resignation as buyers carry away the choice fruits. Choice fruits and deep-felt virgin love. The nubile vendor's grace and modesty as she whets people's appetites and quells their hunger, the way she chants magic words and bewitching proclamations, her gestures of modest seduction, are something to be seen. With decorum and grace, she accepts and changes coins. With beauty and modesty, she offers thanks for the purchase and—with a slight smile of kindness—invites the buyer to repeat his offense. Once the jubilee of fruit, words, gestures and smiles is over, once the clinking of coins being counted has ended, Flérida organizes her homeward dance. It is coming on midday. Flérida will not be napping in the afternoon hammock. A garden and a barn are waiting for her at home. The maiden will water the trees and the cattle, pick fruit and flowers, milk the cows. At dusk, singing songs under her breath, she will embroider huipiles for herself or others, weave nets and hammocks to sell, perhaps even read a novel.

Francisco Zúñiga. *Three Women Walking*. 1981. Bronze. 194 x 132 x 256 cm.

Periodically she goes to see the goldsmiths or the Spaniards to change silver coins and bills for gold coins and necklaces. One day, amid bursting firecrackers, she will be abducted and taken to her in-laws' house and on the morning of her wedding, she will be bedecked in the jewels acquired after many years of labor. She will come on hard times, there will be a bad harvest, her husband will fall ill or not find work. Then—smiling, generous, gracious—Flérida will exchange her gold necklaces and her gold coins for silver coins or bills. This is Flérida, fruit vendor at the Juchitán market.

Leda. If Hortensia should have been called Mona Lisa for the enigmas suggested by her smile, if Flérida is Grace for her radiant face and the agile flight of her hands, Leda must be Piety for the shining example of her spirit and actions, and should have been named Antigone or Cordelia. She acts as her blind father's escort. She is also a mother to her brothers and sisters, a comfort to the poor, a relief to the sick and provides the destitute with a decent burial upon death. On Sundays she sells ice-cold water in the plaza and the needy quench their thirst there without paying. Widows, sad elderly folk and girls who have been cheated on seek Leda out to chat, and she brings a smile to their faces. She is present wherever there is adversity. Whenever the need or opportunity arises, she contributes to her neighbors' joy. Is there anyone in town better able to comfort the dying and perform the Christian and aboriginal rites at the moment of death? She can mourn like no one else. When necessary, she can dance the Zandunga and the Torito like no one else. For many years she was the belle of the Saint Vincent balls. She must have been a stylish young woman. To this day she still spends twelve diligent months of savings each year in order to sport a new huipil at the May festivities. Autumn has wizened Leda's face but her compassionate eyes also sparkle more brightly. The streets fill with cheerful greetings and devout silences when Leda walks through

Above: Ruth D. Lechuga. Tehuantepec Market. 1959.

them guiding her blind father. Leda's father is a flute player and though the earthly forces of his body are dwindling, the forces of venerated theogony—the guardian demons of his indigenous lineage—remain strong within him. As he knows the most ancient of airs, august legends, magical spells and mysteries, the blindman is summoned to all corners and his daughter accompanies him. While her father plays his reed flute, Leda plays the armadillo shell. When the soothsaying musician foresees doom, Leda defuses the superstitious hysteria. What would become of the town if there were not such absolute goodness existing alongside the terrible oracle! There was a time when the region's halest and heartiest young men disputed Leda's hand. One came from Tehuantepec bearing riches, and the maiden turned him down for his town's ancestral treason—both religious and political—against her own people. In vain, a cultured Spaniard, an intriguing Jew, a saltworks magnate as well as cattle ranchers, horse breakers and market gardeners all danced attendance on Leda. When people began to see the maiden strolling with a young man, their little fingers intertwined, and noticed how inseparable they were at the velas, they whispered among themselves—and rightly so—that the Zandunga dancer had fallen in love. Her suitor was not rich, but he was youthful, strong, hardworking, good-natured, kind, and brimming in pure Juchitán blood. Then the old flute player's last wife died, and he lost his sight. No longer was Leda to be seen engaged in games of love, but she became more cheerful and talkative, and doubly diligent in her work. She composed sweet lullabies for her younger half-brothers and sisters, and acted as the flautist's guide and accompanist. She was always the first to arrive at a wake bearing the offering in a knotted handkerchief, and the first to carry out the traditional duties, submissively. She was envied by maidens and widows no longer. The town deified her as the goddess of compassion. That is why the streets fill with devout greetings and religious silences whenever she passes, guiding the seer of mysteries.

Zenón. Zenón was a rich man. He bore the fruits and fame of Juchitán to distant lands. Many foreigners were won over by his shrewd mind for business and his clever tongue. People marveled at the lovely merchandise he brought. He would be surrounded by townsfolk eager to hear his adventures in fantastic worlds. He owned large orchards and many head of cattle. All he has left now is a dilapidated shack, a cart and two oxen to do jobs for other people, a twenty-four-peso hat and a clever tongue. He can still outdo the young men as he did in the past, dancing the Zandunga without a break, singing *La Llorona* and the old *sones* with all the genuine feeling of the patriarchs, hefting bales and doing favors for friends, keeping his word, organizing parties and parades, entertaining crowds, making women laugh, taking children for walks and drinking *comiteco* liquor, without ever tiring. Who can compare to the figure he cuts at celebrations, with his burgundy wool hat trimmed with gold

thread—the accessory of choice for Juchitán's finest and most venerable male citizens? Those little hats with a crown that once sold for twenty-four pesos—solid silver *duros*, the genuine article! The hats that are not to be bought in any store and which, passed down from one generation to the next, symbolize birthright! Like the Juchitecs of old, the twenty-four-*duro* galloned hat is what Zenón values above all else. Not even the prettiest girl manages to polarize attentions like Zenón does, in the plaza and at parties, when he fires off his witty remarks and tales, or sings *La Llorona* incorporating pointed allusions and comments on town life. The position of the hat and the mournful hiccup of his voice are accurate indicators of his advancing state of inebriation. There is never a day that Zenón does not get drunk. At town festivities he does it with a degree of solemnity, in pace with his progressively tilting hat. But he never quits the field—and he has won it honorably—until both young and old drop from exhaustion. Nor does he ever lose his way back to his shack, nor have any need of porters. Insomniacs are all too aware of what time Zenón vanquishes the competition —boisterous shouts and songs mark his progress home. Early the next morning, he will yoke his oxen to the cart, fulfill his obligations, come and go without repose until—having earned his day's wages—the fun can start. O blessed Zenón of Juchitán, prince of life, lord of wine, abdicator of futile ceremony, hero of bacchanalia, master and tamer of misery, indulgent, a miracle-worker in the daily resurrection of optimism, a model of vigorous gallantry and boundless wit. O blessed Zenón of Juchitán!

Mireya. Mireya emerges from her lacy ruffles when she dances: a nascent Venus upon the ocean's bosom. Angel, goddess, star. The smooth curving lines of her cheek, glorified in the immaculate cloister. Prodigious body. Fiery eyes.

Mireya's peerless Venetian lace. Mireya's lace, the marvel of Juchitán. (Worn just so, when she goes to church—her face framed by her huipil like an angel.) 🕮 *Translated by Michelle Suderman.*

Awakening in Tehuantepec

Alberto Ruy Sánchez

I WAS slowly brought out of sleep by a hoarse, drawling voice. I couldn't make out what it was saying at first. The grain of this voice, deep as a well, stirred up my dreams, devouring them, mingling with them, sucking them into a chaotic whirlwind. Gradually I realized it was coming from the corridor outside my window—a kind of long balcony overlooking the patio onto which all the rooms in the Hotel Oasis opened. The heat gusted sporadically into my face, as though a thick wave of air were being wafted our way each time someone walked through the courtyard, like an oven door opening. The voice was addressing another man who listened in near silence, immersed in the story. And I, the unseen audience, was soon equally captivated.

"They hung them by the feet from the big tree in the square. The one filled with sweet white flowers year-round. They had been beaten so badly the blood spattered all over the flowers when they were strung up. From a distance it looked like a family of jaguars had climbed into the tree and was waiting to eat the bandits. But they were already more dead than alive, though one would yell out in agony now and again from his corner of Hell. Then they castrated them and set them on fire. Half the tree was ablaze that day and well into the night and the flowers were consumed by the flames. The stench hung in the air for months, clinging to everybody no matter how often we washed. We smelled of burning garbage, only worse. Now and then you'd get a whiff of flowers and tree sap. It was repulsive but sometimes almost pleasant."

When I managed to get up and raise the blinds there was no one outside. Magui woke up then, and I asked if she'd heard the story.

"You were dreaming," she said with a smile.

And I seriously wondered, because I know I often confuse waking and dreams.

We had arrived in Tehuantepec late the night before, worn out from the long, arid, winding road. For several hours it crawled between the hills like a black snake through the rusty earth and yellow rocks.

A *vela*—one of the town's most eagerly awaited fiestas—is to be held tonight and both hotels are full. We were only able to find rooms at the Oasis because it belongs to the family of a friend of the third person in our party, Margarita Dalton, director of the Oaxaca State Cultural Institute. Her friend is head of the Tehuantepec cultural center.

Magui and Margarita are due to meet up with her later to borrow a pair of traditional Tehuana costumes, because no woman is permitted to attend a vela without the proper attire: long skirts wound around several times over a thick petticoat, hemmed with a broad band of lace that almost sweeps the ground. A short-sleeved rectangular blouse known as the *huipil corto*, embroidered all over with large floral motifs like the skirt. Over the head and shoulders and hanging down the back, a white lace coif called *huipil largo*. The women wear it to church fastened in a way that completely frames the face, like a snowy aura, whereas in the street it is left somewhat more open. This is the costume so familiar to us from photographs of Frida Kahlo, after she adopted it as the uniform of her public persona. During the 1930s and 1940s, the image of the Tehuana symbolized the romantic vision of Mexico—an image bolstered by the myth of matriarchal society. Filmmaker Sergei Eisenstein was very taken by this in 1932, and one of the episodes of his *¡Que Viva México!* was devoted to Tehuana women. It was titled "Zandunga" like the ubiquitous wedding song, and portrayed a scantily-clad woman snoozing in her hammock while her man did all the work in the house and fields.

Indeed, Tehuana and Juchitec women possess remarkably strong personalities. Their gestures are more uninhibited, their relationship with men more aggressive than elsewhere in Mexico. From courtship onward, the Tehuana is allowed to see, touch and say whatever she pleases. Besides, the beauty of the Isthmus women is beyond question.

Traditionally it is they who take charge of trade while the men work on the land. Thus it is women who handle the money, giving them a powerful sway over household and community affairs. A fabled woman by the name of Juana Cata (Juana Catarina Romero) is the heroine of Isthmus identity. Around a hundred years ago, she was a kind of tutelary authority over the entire region. Her house next to the railroad and the market—an emphatically grand dwelling for its provincial small-town setting—remains as evidence of her unusual economic and political power. Outside Tehuantepec, she is more famous for her notorious affair with dictator Porfirio Díaz which has eclipsed her significance as a local impresario and leader. She is even credited with laying down rules as to what dress, headgear and jewelry should be worn at the fiestas. Prescribed ornaments included a necklace of gold coins, special earrings, and ribbons woven into the braids that are then coiled in a semicircle on the head. A specialized market stall located between the sandals and the baskets even now offers this jewelry for sale or rent. Though she died several decades ago, Juana Cata's presence can be felt at every fiesta where there is strict observance of her rules.

Daybreak comes early in Tehuantepec. While the others are getting up, Magui and I go out into the streets to see how people prepare for the day's activities. As we leave the room, we notice it is covered with tiles from floor to ceiling, including the base of the bed and the shelves. It looks as though they must wash it down with a hose after removing the mattress and bedclothes. The room is cool and no doubt hygienic, although in this dreadful climate, any session of intense lovemaking must surely involve condensed sweat dripping from the ceiling. It's early in the morning but the humid heat has already invaded every corner. The sea is nearby though it can't be seen from where we are. We can smell it in every surge of hot air.

We're one street away from the market and the main plaza, which is thick with trees. I can't help looking for a burnt one, and I find a huge tree with a section missing. Could this be the one I heard about in the chaos of my dreams? The square is bright with flowers. The market takes up two sides of it, and the town hall accounts for a third. This building seems to consist of reconstructed ruins—no wall is complete and nothing surrounds the great rear courtyard where the party is due to take place. Later in the day, a wire fence will be installed.

On our way to the market, we watch the women glide to and fro with their shopping baskets. Almost all wear their hair loose, and all walk proudly. One whizzes by in front of us like a mythological being on a moving cloud. She stands erect and still on the back of a small delivery motorbike, a horseless chariot on which she rests one hand as she stares regally ahead, face to the wind.

Suddenly another chariot bursts from among the knots of people, then another. We find out these conveyances are three-wheeled taxis that women hail as they leave the market. Some squeeze in two passengers with baskets at their feet. There is a swarm of milling chariots on the corner. The motionless women float through the air. We can barely catch a glimpse of the drivers in tiny cabs at the front. There don't seem to be any cars around to compete for road space with the walking and flying Tehuanas. They exude a hypnotic, strange and awesome presence.

We stop at a juice bar on the outer edge of the market, facing the plaza. A counter and five high stools. We sit quietly and wait for our orders: one guava, one pineapple and mango. The noise of the chariots fills the air. But in the background, far away, another sound can faintly be heard. Something like distorted brass band music wafting from a distant radio. After listening to our misguided speculations, the owner of the juice bar explains. It's the sound of the horns of the long-distance semitrailers on the Pan-American Highway—a single thoroughfare originating in South America that crosses Central America lengthwise and links the whole subcontinent with the North. And it barely bypasses Tehuantepec.

"Do they always blare their horns when they go past here?"

The juice vendor chuckled at my question before responding.

"No, they're hooting precisely because they can't get past. The road's blocked…"

He was about to say more when a truckload of soldiers turned into the plaza. It stopped in front of the market and the men clambered down, marching noisily into the building. A second truck arrived, and the same thing happened.

"What's going on in there?"

"Oh, nothing, the usual thing in these cases, folks are wanting to lynch them."

"Lynch who?"

"Some thieves. And I guess the three municipal policemen who tried to take them away from the mob—to jail is what they said. Just to let them go in exchange for a miserable bribe. Or a big one. At least they've had a fine beating. Here people demand justice, and they get it when the police let them down. The taxi drivers are blocking the roads into town and the Pan-American Highway. And to make matters worse, the army comes in to protect the robbers! It's shameful, that's what it is. Everything's been turned on its head."

A tumult broke out deep inside the market. Enraged women battered the soldiers with anything at hand. The policemen—their uniforms in shreds—shielded their heads and faces with their arms and tried to dodge behind the soldiers. In this blur of blows advancing toward us, the two thieves looked like a pair of bloody rags being yanked this way and that. Finally the mob shoved one of them back into the market and shut him up in a kind of wire cage used for storage. The soldiers hustled the other away to lock him up in the municipal offices.

A tiny woman with a thunderous voice who turned out to be the mayor fought her way into the crowd and called for silence. The ensuing calm made her seem taller. But she hadn't pronounced more than a few words before the angry shouts and insults started up again. Neither side was prepared to relinquish its share of the human booty.

In all the cacophony, the diminutive mayor no longer knew who to listen to. She appealed to the parties to choose their spokespersons then and there, because she could not talk to everybody at once.

"And make up your minds about what you're aiming to achieve. Because you're not going to murder those men just like that. That won't happen again around here. We're not animals."

At last I understood what the man who unwittingly woke me up that morning had been talking about. And the barman confirmed it.

"Yes, it was exactly a year ago, on the day of the last vela. Some other thieves who weren't from around here—they always come from other towns—tried to hold up the jewelry stall in the market. It's very tempting when they see all those gold coins hanging around women's necks… then they see a tiny stall and figure it'll be a cinch. Well, they got beaten up pretty good, then they were strung up and castrated, someone poured gasoline over them, and—still half-alive—set fire to them."

I pointed inquisitively to the mutilated tree I had seen.

"No, that was another time. There's been at least seven trees burned in this square over the last twenty years. Some more than once. The good thing is that what with all this sun and humidity, things grow back quickly. We wouldn't have a plaza otherwise. Last year's was that one."

And he indicated a very large tree, one that showed not a trace of flames or lynchings, laden with white blossoms.

"Mind you," he added, "when someone's been hung from one of the trees none of the young girls around here will have its flowers for her hair. They think it brings bad luck and makes them lose their sweethearts."

The mayor strode smartly up to us, the only strangers in the plaza, and asked whether we were journalists. When we said we weren't she looked relieved and swung away without another word. A little further on she summoned an aide and we could hear her instructing him, "Take the Guatemalans to the cultural center and keep them happy with some speeches and dancing. Anything to keep them in one place so they don't get wind of the matter."

I asked our barman about these Guatemalans who were to be entertained. I hoped he didn't think it was us.

"There's a group of twenty municipal presidents from Guatemala who've come here for a congress, invited by the government of Oaxaca."

"And will people be able to keep all this under wraps?"

"Sure, because you don't know what you don't know. They might reckon there's been a bit of a disturbance, that's all. To see so many soldiers about is nothing special to them anyway. I hear there are even more of them riding around the streets over that way. Trouble is, just when the hold-up started, someone spread the word that the thieves were Guatemalan, and there was already a crowd heading down to the hotel with clubs and torches when some taxi-drivers caught the real scoundrels at the roadblock. That's when they brought them to the market. You likely didn't notice, but there are no other outsiders here today besides yourselves, the Guatemalans and the robbers. The road's closed and no one can get in or out. Not even the tourists who wanted to see the fiesta."

Magui and I spend the day wandering around town. The market is the main attraction for us but we also visit the home of Juana Cata where her granddaughter—who is now a grandmother herself—shows us around. The furnishings of a hundred years ago haven't been moved: like ghosts, the armchairs seem to murmur of styles long past, forgotten conversations, stories that have unraveled into legend. We tour the convent of Santo Domingo—now a cultural center—and for the most part explore the different neighborhoods, each with its little church, each readying to present its queen that evening. Everywhere preparations for the fiesta are underway and bands are rehearsing. All over town, scraps of the well-loved song that is almost a regional hymn, *La Zandunga*, float our way.

But everywhere, too, we saw reminders of the possible lynching. People talked of nothing else and we kept hearing or seeing agitated knots of citizens scurrying this way and that. Negotiations with the mayor were shunted back and forth around town in order to keep out of the way of the Guatemalans, as in a grotesque comedy of errors. Everyone collaborated in this. It was like hiding an elephant in an anthill with all the ants pretending not to notice, and the ploy was to all appearances a success. Any anomalies could always be blamed on the fiesta. A Guatemalan lady was in the market buying Oaxaca's typical cheese called *quesillo*—a long, white, fibrous band wound round and round to form a ball. In the course of small talk with the vendor, she remarked on the oddity of the explanations she had been given for the general chaos. For example, the blocked traffic. Surely this hampered rather than helped the preparations for the party? The cheese vendor responded calmly, "That's the way we are in Oaxaca. Even the cheese here is tied up in knots!"

By afternoon, the line of cars and trucks backed up on the highway seemed to stretch for several kilometers. Some said twenty, others fifty. In any case, the racket coming from that direction showed no signs of letting up, nor did the relentless heat. Finding a comfortable hammock for a siesta naturally became our only concern. Such heat consumes people, sapping their energy, feeding on them as though they were fruit, until it is satiated and takes a break. But it does not go away at night, it merely lies in wait, blind, invisible, breathing onto our skins.

And now it is the hour of the fiesta and all the faces brighten. Flaunting their beauty, their outfits, the women are constantly on parade. This costume makes the Tehuana the center of the world—or more obviously so. Covered in embroidered flowers that have blossomed on the fabric, she is a garden—the garden of gardens. When she moves it is like a promise of paradise. Her dowry of golden coins asserts her place in the community as its axis, its source of power, its symbol. The glittering allure of her presence proclaims her as the mistress of courtship and coquetry, the overtures to love. Her hair is groomed and her make-up, with its emphasis on the eyes, reveals her command of the language of glances.

We men are soberly dressed in white shirts and dark trousers, though some also sport sombreros and kerchiefs around their necks. The male head of each family steps up to the festivity chairman's table to pay his respects with a carton of beer. This gift symbolizes participation in the community's expenses and identifies the fiesta as an event belonging to all.

The *son istmeño* is a measured dance of gentle, elegant movements across the floor. Each couple is now engaged in the opening rituals. The men look slight and fragile. Women frequently dance with one another, joining their voluminous waists. The various layers of fabric make the body appear thicker, for slenderness is tantamount to ugliness. Grandmothers dance with granddaughters, sisters with sisters. Their feet are invisible beneath the skirts which graze the ground. Small paper flags are stuck into their headdresses. The most corpulent matrons rock slowly and majestically across the dance floor like ocean-liners maneuvering into port.

Well into the wee hours, we learn that the taxi strike is over: an agreement has been reached. The mayor makes her entrance, wearing a grin as all-encompassing as her gift for command. She is splendidly dressed for the party, and is bombarded with greetings and salutations that come from all sides en route to the head table, where she takes her seat like a tropical Queen of Sheba. But the real queen was crowned hours before, and her court is made up by the other barrio princesses. With a glittering crown on her head and a scepter in her right hand, she is ensconced on a raised dais behind the dance floor, silently enjoying every moment of the show.

The truck-drivers who were held up on the road all day long roar furiously into town in their detached cabs, revving the engines and leaning on their horns with deafening results. More than twenty of them are circling the patio where the celebrations are taking place. Every now and then they honk their horns in a particular rhythm, the one that in Mexico signifies a rotund *chinga tu madre*—the most direct manner of telling someone off, to put it mildly. Nobody seems unduly upset, and the dancing proceeds as though nothing had happened. A lady next to me observes, "Very pleasant to have them get so fresh with us in this weather. It would take some downpour to wash out our fiesta."

Antonio Ruiz (El Corzo). *Voyage to Infinity (To the Sea I).* 1955. Tempera on wood. 29.5 x 39.5 cm. Collection of María Esthela E. de Santos.

As the truck-drivers carry on creating their noise, equally unperturbed, the mayor orders the music to be turned up. The speakers vibrate as do the glasses on the tables. The sound feels like something probing your body, a brusque massage of vibrations. And the dancing carries on regardless. This overdose of tactile music spreads into a general intoxication. The restrained beat of the fiesta quickens in response to the truckers' aggressive threat, and a new, more modern band strikes up.

The truckers brake to a halt for a better look at the three singers in their glittery bikinis. Then they complete a few more rounds before the cabs on their massive wheels suddenly vanish as though absorbed by their own delirious, chaotic noise. Many revelers don't even notice their departure. Only the sound of breaking glass from a nearby house prevails on us to lower the volume of the music.

Some say that the fiesta is called *vela* as in "vigil" because nobody gets a wink of sleep. Others claim it comes from the word's other meaning of "candle" because of the hundreds that are lit as an offering to the patron saints of the city, barrios or brotherhoods. In any case, vigils and candles are both vanquished by the sunrise, which catches us still dancing. Before returning to the hotel, Magui suggests a last stroll under the scented boughs of the plaza. The chariots and their crews are still asleep. The market is slowly coming alive, as a few young people stumble straight from the fiesta to open their vegetable or flower stalls.

At the far side of the plaza, we seem to see a blackened tree. The fire looks recent, freshly extinguished with earth and water. It's useless to ask what happened—no one knows, no one will say anything. Dark patches that could be blood or oil can be discerned beneath the dirt on the paving stones and staining the white petals of fallen blossoms. Our friend the juice man acts in a surly, evasive manner.

"Nothing happened here. Well, yes, there was a party. Didn't you go to the *vela*?" 🦋
Translated by Lorna Scott Fox.

ETERNAL PRESENCE

If I Am the First to Go…

Rocío González

WHEN Grandmother died, you and I had to dress her, remember? Mother was with the prayer women, telling all the village so they'd come to the wake. Grandmother had had her final outfit ready and waiting for years: soft blue satin embroidered in red chain stitch with touches of yellow, a lovely antique petticoat, and the pleated lace flounce all the way from Bruges. She had requested we respect the traditional ceremony and—feeling a little bashful in the presence of a dead woman, and a little more again due to the unfamiliarity of everything—we braided her hair while intoning prayers and litanies we had never before pronounced. In the past we had always followed the process from afar, respectful yet uninvolved, and now it was disturbing to become part of the beehive of activity, preparing Grandmother for a happy journey to the hereafter. All we could do was catch each other's eye, almost with pity. And so on into the wee hours, the house full of neighbors in strict mourning of black or purple, their heads shrouded, weeping or pretending to do so; and Grandmother laid out on the floor—with bricks instead of candles to mark the four corners, lest we forget that we are dust. As next of kin, Mother and Uncle Ro-que couldn't budge from their positions by the body, where they were receiving condolences and alms, so once again, it was you and I who had to help out the aunts and old ladies, making tamales and hot *champurrado* to drink. With no consideration for our ignorance and bewilderment, they harried us with instructions every step of the way. Watch out for that dough, child, it's short on lard! Fetch some mezcal for the coffee! Trim the candle wicks! Get the incense burning! And after the wake, the same rush for the next nine days: preparing food for the folks coming to say the rosary, changing the flowers and pressing the withered ones, lighting candles, attending the altar, and praying, endlessly praying to the monotonous rhythm of the prayer women who even sprinkled their Zapotec with a few phrases in Latin. Oh little sister, you must be wondering why I'm telling you all this! It's so you'll remember, and never forget—and not forget that other early morning during the novena, when we carried the dead flowers into the Calvary chapel and sang *The Last Word*, and the hymn our dearly departed loved so much, the one that goes "If you are the first to die, I promise…" How sad and frightened we were, and yet what a comfort it was to know we were doing our part to ensure the best possible sendoff for the grandmother we adored.

Now that *béeu xhanndú*—the month of the dead—has come around again and I know with all certainty that my time will come next, I want to ask you, little sister, to observe the rites. Everything is ready. My shroud will be the black velvet dress with big red roses that I wore to the last *vela*, and please, arrange the aureole around my head so I look like a twinkling star even in the midst of that everlasting darkness. 🦋 *Translated by Lorna Scott Fox.*

La Llorona

I know you are to be married, ay Llorona!
May you go with God, my love.
I have stayed away too long, ay Llorona!
Don't drink the river water
or leave love hanging, ay Llorona,
as you left my love.

Ay Llorona, Llorona!
Llorona, take me to the sea
to see if by crying, ay Llorona,
I can weep my heart to sleep.

Under the arcs of the fountain, ay Llorona,
flows the water without cease.
My love has learned to swim, ay Llorona,
to the music of its current.
Sad and absent it cried, ay Llorona,
and there was nothing I could do.

Oh woe is me, Llorona!
Llorona crying now and then,
but they would have to dry the sea, ay Llorona,
to make us stop swimming.

Under the arcs of the fountain, ay Llorona,
flows the water, and flowers bloom.
If they ask you who is singing, ay Llorona,
just say I am a deserter
who came from the war, ay Llorona,
in search of his love.

Oh poor me, Llorona!
Llorona, yes and no.
The light that lit my life, ay Llorona,
left me in darkness.

La Zandunga

I had the band play Zandunga, ay Mama, for the sake of God!
In the battle of flowers, dearest to my heart.
Now I want to remember, ay Mama, for the sake of God!
Our love, dark beauty, dearest to my heart.

Ay! Zandunga, what a Zandunga
Of gold, Mama, for the sake of God!
Zandunga, for you I cry,
Jewel of my heart.

A lettuce in the field, ay Mama, for the sake of God!
Turns greener with the dew, dearest to my heart.
I lost a great love, ay Mama, for the sake of God!
But who the devil cares, dearest to my heart?

Ay! Zandunga, what a Zandunga
Of silver, Mama, for the sake of God!
Zandunga, your love is killing me,
Heaven of my heart.

Gentlemen, I beg you, ay Mama, for the sake of God!
Don't be too hard on this singer, dearest to my heart,
Because the dusty road, ay Mama, for the sake of God!
Has left my throat parched and dry, dearest to my heart.

Ay! Zandunga, what a Zandunga
By Solís, Mama, for the sake of God!
Zandunga also by Ortíz,
Heaven of my heart.

Curly-haired girl with coal-black eyes, ay Mama,
                              for the sake of God!
And parted lips of coral, dearest to my heart,
Take me in your arms, ay Mama, for the sake of God!
And rock me to sleep, dearest to my heart.

Ay! Zandunga, what a Zandunga
In Havana, Mama, for the sake of God!
Zandunga, you are Tehuana,
Heaven of my heart.

Should anybody ask you, ay Mama, for the sake of God!
If my love is what you want, dearest to my heart,
You don't have to explain, ay Mama, for the sake of God!
You must know your own mind, dearest to my heart.

Ay! Zandunga…

Should someone wish to buy flowers, ay Mama,
                              for the sake of God!
From the garden, tell them no, dearest to my heart.
The flowers are not for sale, ay Mama, for the sake of God!
And I am the only gardener, dearest to my heart.

Ay! Zandunga…

If because I love you, ay Mama, for the sake of God!
You wish to have me killed, dearest to my heart,
Then let me die, ay Mama, for the sake of God!
So that someone else might live, dearest to my heart.

Ay! Zandunga…

I'm ugly, small and Black, ay Mama, for the sake of God!
Very ugly but so loving, dearest to my heart,
I'm like the wild chili, ay Mama, for the sake of God!
Very hot but appetizing, dearest to my heart.

Ay! Zandunga…

On a table I have placed, ay Mama, for the sake of God!
A green lime with its leaves, dearest to my heart,
If I get close you draw away, ay Mama, for the sake of God!
If I draw away you get mad, dearest to my heart.

Ay! Zandunga…

You say I was to blame, ay Mama, for the sake of God!
But it was no fault of mine, dearest to my heart.
Whoever looks for trouble, ay Mama, for the sake of God!
Let him bemoan his fate, dearest to my heart.

Ay! Zandunga…

Long live the Sun and Moon, ay Mama, for the sake of God!
Long live all the stars, dearest to my heart,
And long live my dark love, ay Mama, for the sake of God!
Who shines as bright as them, dearest to my heart.

Ay! Zandunga…

Now let me say farewell, ay Mama, for the sake of God!
While I slice an apple, dearest to my heart,
I came to entertain you all, ay Mama, for the sake of God!
So long until tomorrow, dearest to my heart.

Francisco Zúñiga.
Tehuanas with Iguana. 1968.
Bronze. 66 x 38 x 38 cm.

Based on English versions by Langston Hughes published
in Miguel Covarrubias, *Mexico South: The Isthmus of
Tehuantepec* (New York: Alfred A. Knopf, 1946).

MONSTRUO DE PAPEL

SUPLEMENTO DE *ARTES DE MÉXICO* • 2000

Ramón Alejandro

Portada: *Allá va eso*. 1993. Óleo sobre tela. • *La madurez*. 1990. Óleo sobre tela.

Ramón Alejandro

CATHERINE BLANCHARD

Nieto y sobrino de pintores egresados de las escuelas de Bellas Artes de Madrid y de La Habana, Ramón Alejandro nació el 16 de febrero de 1943. Creció en el barrio de La Víbora, en los suburbios de La Habana.

En 1956 y 1958, cuando viajó a Nueva York, se impresionó con el cuadro *Marte y Venus*, de El Veronés, y con las esculturas de toros alados expuestas en el Museo Metropolitano. A los 17 años dejó Cuba empujado por el deseo de conocer el mundo a través de sus obras de arte. Primero, la Argentina, hasta la Patagonia; luego, Uruguay. En ese entonces emprendió estudios de bellas artes en Buenos Aires y Montevideo. Finalmente, visitó Brasil, donde descubrió el barroco portugués en Minas Gerais y en Bahía. Por todas partes escuchaba hablar de Europa, así que un día de Carnaval decidió embarcarse rumbo a España. Tenía 20 años. En Madrid visitó el Museo del Prado. Observaba sobre todo la obra del Bosco y de Velázquez; descubrió los originales de las copias que tenía su abuelo, al que conoció siendo niño. Cinco meses más tarde llegó a París, donde inmediatamente se sintió como en casa, aunque no hablaba una palabra de francés. Se inscribió en el taller del grabador Friedlander, bajo cuya tutela realizó, durante tres años un gran número de obras en punta seca. Mientras tanto, continuó sus visitas a los museos europeos en las cercanías del Mediterráneo, deseoso de desentrañar el misterio de cada cuadro en Italia, Grecia, Marruecos, Turquía, los Países Bajos, Baviera e Inglaterra.

En 1966 comenzó a pintar. Muy pronto, sus "máquinas" tomaron en los lienzos la forma de altorrelieves impecables, aunque de apariencia ilusoria. Hasta 1978 realizó sus primeros paisajes, durante una estancia de dos años en Madrid. En 1971 volvió al grabado por influencia de François Lunven, quien le enseñó la técnica del aguafuerte. Sus grabados, producto de una estrecha colaboración literaria con muchos amigos poetas, evolucionaron paralelamente a sus cuadros. En 1980 regresó por nueve meses al trópico, a Puerto Rico. Fue entonces cuando sus paisajes se desplegaron sobre los lienzos en acuarelas. De cuando en cuando aparecieron en sus dibujos caracoles u osificaciones marinas que nos hablan de esa estadía a la orilla del océano. Los primeros paisajes son minerales; poco a poco la vegetación crece: primero con reservas, luego con la exuberancia de las Antillas. En 1988 emprendió un corto viaje a Venezuela del que volvió seducido, entusiasmado por la naturaleza. Trajo consigo las imágenes de una vegetación hechizada y cargada de vitalidad, y a su regreso pintó sus primeras frutas. Actualmente radica en Miami. ℚ

Al pie de Iroko. 1998. Óleo sobre tela.

En busca
del nombre
ROLAND BARTHES

En un primer tiempo (que es el de la ilusión, o el de la parodia), los objetos pintados por Alejandro aparecen como máquinas de tortura, jaulas, cajas, rejas, estacas, tapones, rastrillos, gradas, dispuestos a encerrar, lacerar, aplastar; o bien, como rapaces cartilaginosos, detentores del horror más profundo, el de la amenaza.

No obstante, desde ese primer momento, una enigmática carencia sutiliza todo este despliegue agresivo. La función de estas máquinas parece valientemente olvidada, como si la mecánica de la agresión virara: no hay hilo para transmitirla (si acaso un hilillo), no hay engranaje para transformarla, no hay tornillos implacables (sino de madera, motivos de ebanistería más que de ingeniería), no hay metales duros. Estas máquinas se detienen voluntariamente, no se comprometen con el tiempo, la usura o la enfermedad. Y el hombre, el objeto o sujeto humano, no está presente, ni siquiera está escondido. Por lo visto está ausente como podría estarlo una figura huidiza en un dibujo: aquí, jeroglífico, situación inexistente: estos instrumentos sin agentes, estas máquinas sin víctimas ni verdugos.

Así, análogas a los verbos del vocabulario oriental que remiten a un conocimiento sin sujeto ni objeto, las máquinas de Alejandro son a la vez intransitivas e insubjetivas; constituyen una negación de la gramática de la representación más eficaz que cualquier imaginación surreal, a partir de la cual el sujeto continuaría soñando. Ahora bien, lo que la obra de Alejandro logra, esta devaluación del sujeto, no es cosa copiada o imaginada, es la instancia misma de la pintura. Porque Alejandro es un pintor, y nos obliga a dar a sus máquinas una segunda lectura que opera en nosotros la decepción de la decepción. Por ejemplo, imponiendo la afirmación de una sustancia absoluta (la sustancia en sí, podríamos decir), estos grandes objetos niegan toda sustancia particular, al tiempo mismo en que parecen querer sugerirla: ¿piedra?, ¿yeso?, ¿estuco?, ¿crema?, ¿cartón?, ¿madera? El arte enuncia aquí su lema: el nombre sobre los labios (o en la punta de la lengua), manifestando el deseo del lenguaje que lo constituye. Así, la idea misma de color se desintegra. Se busca, no por el lado del blanco, sino de la porosidad; no por el lado del verde, sino por el de ese aceite suave que se halla en algunas pinturas murales. De estas falsas máquinas parte la gran migración del significante, el léxico infinito que no viene a cerrar ningún sentido, y la migración del destino, los orígenes culturales de esta pintura, que pasan como citas fugaces infinitamente remotas: ¿sadismo?, ¿surrealismo? Los lenguajes quedan abolidos, no son ya sino una manera de abrir el diccionario del mundo. Así, el grafismo de Alejandro (no digamos el arte, puesto que lo que nos importa es la inscripción pictórica o escritural) tiene en su trazo a la vez el sí y el no: la dialéctica (y por esto es fundamentalmente operativa, deconstructora de toda figuración). Asertivo y, sin embargo, igualmente distante de lo "real" y de la "verdad", niega lo que afirma; desvía lo que plantea; se desprende de lo que ofrece; su amabilidad (lo que hace que nos guste) no induce a posesión alguna; niega aun al fantasma del cual parece haber salido, para entrar así, plenamente, en el combate de la modernidad. ☯

El canto de la tierra. 1990. Óleo sobre tela. • Página siguiente: *El filósofo paralizado por la duda*. 1986. Óleo sobre tela.

Una arqueología

previsible

SEVERO SARDUY

Frutas: el sabor áspero, el rumor de la tierra, o si se quiere, la voluta siempre invertida y siempre ardiente de los trópicos. Estas frutas son colocadas a la orilla del mar, en los lindes de un paisaje que, como el universo, no tiene fronteras asignables ni límites; están como abandonadas al deleite, a la gula de algún demiurgo glotón, siempre al acecho de una nueva voluptuosidad.

Las frutas son simulacros de pulpa: no pertenecen a ninguna categoría botánica clasificada, no figuran en las páginas amarillentas de las viejas escrituras góticas de algún catálogo del hermetismo herbolario que se pudiese encontrar relegado en el fondo de un viejo gabinete de boticario. Son, por el contrario, síntesis de frutas, sincretismos de sabor y color, metáforas materiales resultados del día, del cenit, que el sueño se complace en recoger en largas noches.

De arriba abajo: *El instante perpetuo*. 1996. Óleo sobre tela. • *Plenitud*. 1991. Óleo sobre tela. • *La naturaleza de la luz*. 1989. Óleo sobre tela.

Frutas o máquinas, extraños follajes petrificados, como después de un apocalipsis o del enfriamiento de un sol desgastado, poco importa. Se trata de arquitecturas de un número pitagórico que a la vez configura, quema y atraviesa la tela para darle ese sentido secreto de la mesura que está en la fuente de todo clasicismo, sea el de los constructores griegos o el de los poetas castellanos.

Alejandro hace ver en una luz prismática y astral sus construcciones que revisten los simulacros más diversos, las figuras más disímbolas. Las construcciones, en apariencia estables y bien dispuestas —como las armazones de los maestros góticos— que el pintor nos ofrece como enigmas, son el emblema de la compulsión edificadora humana, la cifra del *homo faber*, pero también la de su aturdimiento y falta de previsión: un soplo, un ligero sismo puede derribarlas. Son ruinas prefabricadas, vestigios de una arqueología previsible. Estas construcciones no son sino la definición de un mismo designio: las proporciones del hombre en el centro del rosetón de los números. ☉

De arriba abajo: *La champola*. 1989. Óleo sobre tela. • *Los deseos terrenales*. 1993. Óleo sobre tela. • *El gusto del poder*. 1991. Óleo sobre tela.

La jungla jubilosa

A N D R É   V E L T E R

Si el deseo no gobierna por completo el universo, sí conduce al dominio de lo imaginario. Él solo crea lo imposible, aun en la soledad, la inquietud o el vacío. De un espacio abandonado, hace una escena propicia a la perturbación, al vértigo, a las suavidades decadentes. El deseo es un demonio que deja la sombra por la presa.

Primero, lanzadas contra un cielo sin puntos de orientación, las máquinas de Ramón Alejandro fueron caparazones agresivos, erizados, como arrojados entre dos asesinos fríos, entre dos pasiones difuntas, entre dos polos hundidos. Eran las formas fabricadas de una tensión bruta, irreprimible. Eran los navíos fantasmas de un pensamiento abierto al infinito, que no ponen la esperanza ni en el fin ni en el comienzo. Eran burbujas de nada súbitamente provistas de armaduras. Alrededor había una guerra abstracta, un fulgor de carnicería sin mancha. La luz era seca y pura, lejos de juicios, de morales, de murmullos. Alrededor había un territorio sin tierra, un alba mental que dictaba su ley por el relámpago y no quería perseguir sino un silencio sin reposo.

Y luego vino la languidez, la exuberancia, el refugio. El deseo remontó el curso del tiempo, revirtió su origen. Las máquinas se descubrieron puntos de anclaje: cayeron en la infancia. Inciertas, no sosteniéndose sino por un milagro, se afianzaron poco a poco, aceptaron su pesantez, encontraron sus cimientos. Arrancadas al sin sentido del universo, se ofrecieron al mundo. Tan lisas, tan incorruptibles, pasaron de la erosión, de las invasiones, a la exuberancia. Una fiebre tropical tomó por asalto las armazones, los fuselajes. Hubo un desbordamiento de la naturaleza con abundantes matas, follaje y pulpa. Los emblemas de lo mental, las máquinas se tornaron en tótems y en templos. La piedra se impuso con todas las marcas del tiempo. Fue como si ciudades perdidas revisitaran la memoria.

En la obra de Alejandro, la irrupción del paisaje cuenta el retorno a su país y la voluptuosidad de una visión femenina. Su pintura de esta época se encuentra como embriagada, renovada, desplegada. Es, en lo sucesivo, una ofrenda de toda la creación manifiesta, aun si falta todavía la huella de las criaturas. Es un himno sin freno a la vida, a la vida como una jungla jubilosa. Mezcla el sabor del mango con toneladas de arcoiris, la florescencia de los volcanes con los pigmentos del rayo. Se halla en el fervor reencontrado, en el acuerdo renovado. A los infinitos terroríficos y muertos, a la tierra hostil y dura, Alejandro los sustituye por una alegría desencadenada. Ingenuamente, lúcidamente, fogosamente, sabe, en una apuesta segura, habitar su deseo. ◯

Página anterior: *El precario equilibrio de las empresas humanas*. 1986. Óleo sobre tela. • *El carácter efímero de los fenómenos de este mundo*. 1987. Óleo sobre tela.

La transparencia del tiempo

JACQUES LACARRIÈRE

Durante largo tiempo, Ramón Alejandro pintó extrañas máquinas, a la vez dulces y agresivas, que sugieren torsos barrocos y torturas refinadas, que tienen algo de juguetes extraterrestres y de *kit* metafísico, pero autosuficientes, emancipadas de toda función, como epifanías de otro mundo o de otro espacio.

Actualmente, se consagra a pintar paisajes y construcciones igualmente extrañas, ligadas por una complicidad manifiestamente secular. A veces, a la vista de estos lugares, uno se pregunta: ¿aquí dónde comienzan, dónde terminan la intervención y el paso del hombre? ¿Dónde comienza, dónde termina aquello que traiciona la circulación de las cosas, la vejez del tiempo y también el deseo de durar? ¿Hubo acaso alguna vez en estos lugares otro lenguaje que el balbuceo de las savias y de los pájaros?

Estos edificios surgidos de las rocas, de las frondas, parecen a veces nacientes, apenas iniciados, y a veces moribundos, apenas abandonados. ¿Son acaso vestigios de sueños interrumpidos, las torres de una Babel, o más bien de una anti-Babel víctima del silencio, del olvido del lenguaje? ¿O los esqueletos de una Atlántida sin atlantes? Aquello que intriga, que atrae en estas visiones, es que pintan un apocalipsis fijo, como suspendido en su reptar gangrenoso. La interrupción, la abolición de la empresa, son aquí tan puras y nítidas como un hueso inmaculado de jibia sobre una ribera de un tiempo anterior a los hombres.

Sin embargo, la vida existe entre estas grietas, estas fisuras, estos acantilados verdosos en los que se insinúa la lujuria obstinada de las plantas. Ellas, tan frágiles, tan efímeras, se revelan insumisas al tiempo, devoradoras de sueños encallados. Si el hombre vivió antaño aquí, si tuvo planes, proyectos, presupuestos de esperanzas, si aquí hubo fundaciones y tentativas de establecimiento, voluntad de piedras, de maderas y de edificación, todo esto ha vuelto a encontrar el taller de las plantas y el estudio de las frondosidades, ha abandonado de una vez por todas la aventura humana. Solas permanecen, esterilizadas de todo fantasma; sólo queda la limpidez del espacio, la transparencia de su luz. Ni el aire ni el tiempo tiemblan, ni temblaron nunca sobre estos lienzos. Con un solo dedo se podrían tocar y quizá borrar del horizonte. Ahora sé que el universo es curvo. Las telas de Ramón Alejandro me lo dicen puesto que su luz inmóvil alcanza el nacimiento y el fin del mundo. ◑ TEXTOS TRADUCIDOS POR LOURDES ANDRADE.

Notes de voyage… 1986. Agua fuerte.

El nyctámero. 1981. Óleo sobre tela.

MUSEOS

ANTIGUO COLEGIO DE SAN ILDEFONSO
Mayo 3-julio 9:
Sigmund Freud, el coleccionista. Más de 125 objetos de su colección que incluyen piezas arqueológicas, fotografías, muebles y esculturas.
Justo Sierra 16. Centro histórico.
5702 2384 • 5702 2777.

ANTIGUO PALACIO DEL ARZOBISPADO
Marzo 28-junio 25:
Rafael Coronel: 50 años de pintura, 1949-1999. Selección de 90 piezas del conocido artista zacatecano, presentada en el marco del XVI Festival del Centro Histórico.
Octubre 7-septiembre 24:
Frente al umbral. Cerca de cien piezas de pintura, escultura, dibujo y gráfica, de artistas como Manuel Felguérez, Juan Soriano, Ricardo Martínez y Boris Viskin, entre otros.
Moneda 4. Centro histórico.
5521 4675 • 5518 5592.

EX-TERESA ARTE ACTUAL
Marzo 24-abril 4:
Antes y después del Kraftwerk. Exposición de arte electrónico, instalación y video.
Lic. Primo Verdad 8. Centro histórico.
5522 9093 • 5522 2721.

MARCO, MUSEO DE ARTE CONTEMPORÁNEO
Febrero 4-junio:
Colección de la Fundación Cultural Televisa. Arte electrónico, fotografía y tapices.
Zuazúa y Ocampo s/n. Monterrey. Nuevo León.
(8) 342 4820 • 342 4830.

MUSEO CASA ESTUDIO DIEGO RIVERA Y FRIDA KAHLO
Marzo 28-mayo 28:
(A)salto a la vida. Muralismo popular en taludes. Gonzalo López. Bocetos, dibujos, fotografías, proyectos, mapas y grabados de diferentes murales realizados por este artista guanajuatense con ayuda de su comunidad.
Diego Rivera y Altavista. San Ángel.
5616 0996.

MUSEO DE ARTE CARRILLO GIL
Febrero 2-junio 4:
Revisiones de la colección 1. Günther Gerzso, Diego Rivera y David Alfaro Siqueiros, entre otros. Montaje didáctico.
Marzo 1-mayo 28:
Silvia Gruner. Una de las principales artistas de la década de 1990 en nuestro país. Trata nociones como identidad y cultura nacional.
Marzo 15-junio 5:
No hablemos de sexo. Colectiva de artistas mexicanos. Obra cuya temática oscila entre el erotismo y la sexualidad.
Av. Revolución 1608. San Ángel.
5550 1254 • 5550 6284.

MUSEO DE ARTE MODERNO
Marzo 2-junio 11:
Sergio Hernández. Retrospectiva del artista oaxaqueño. Pintura y cerámica.
Marzo 16-junio 18:
Fernando del Paso. 2000 caras de cara al 2000.

Abril 4-junio:
La mirada fuerte. Pintura figurativa de Londres. Retratos, desnudos y paisajes de ocho pintores ingleses: Michael Andrews, Frank Auerback y Francis Bacon, entre otros.
Paseo de la Reforma y Gandhi. Bosque de Chapultepec.
5553 6233 • 5211 8729 • 5211 8331.

MUSEO DEL PALACIO DE BELLAS ARTES
Marzo 30:
Mario Pani. Arquitectura.
Abril 13-julio 9:
100 años de escultura mexicana.
Av. Juárez y Ángela Peralta.
Centro histórico.
5512 2593.

MUSEO DOLORES OLMEDO PATIÑO
Febrero 17-mayo 14:
Los setenta: la llamada ruptura y gráfica internacional. Rufino Tamayo, Salvador Dalí, Roy Lichtenstein, entre otros. Se muestran las propuestas europeas, norteamericanas y mexicanas de este periodo.
Av. México 5843. La Noria Xochimilco.
5555 1016 • 5555 0891.

MUSEO FRANZ MAYER
Marzo-junio 11:
La charrería. Artes aplicadas en torno a esta tradición.
Av. Hidalgo 45. Centro histórico.
5518 2265 al 71.

MUSEO JOSÉ LUIS CUEVAS
Diciembre 9-abril 13:
Homenaje al lápiz. Colectiva. Dibujo latinoamericano contemporáneo. Obra de caricaturistas, músicos, arquitectos y escritores.
Abril 20-junio 1:
Juan José Gurrola. Dibujos del versátil artista mexicano, apóstol de la desvergüenza en la cultura.
Abril 30-junio 8:
III Bienal internacional del juguete arte objeto. Selección de juguetes creados por artistas.
Academia 13. Centro histórico.
5542 6198 • 5522 0156.

MUSEO MURAL DIEGO RIVERA
Abril 6-julio 16:
Nahui Olín. Opera Varia. Dibujos, caricaturas y fotografía, en su mayoría inéditos.
Balderas y Colón. Centro histórico.
5512 0754 • 510 2329.

MUSEO NACIONAL DE CULTURAS POPULARES
Diciembre 9-junio:
Dime qué comes. Las cocinas de México. Exposición que presenta la cocina como resultado de la vida cultural mexicana.
Febrero 24-mayo 28:
Una pizca de sal. Revisión del desarrollo histórico, cultural y económico de la sal.
Enero 27-abril 23:
Las mujeres en la obra de Walter Reuter. Fotografías que muestran la forma de vida de las mujeres indígenas.
Av. Hidalgo 289. Del Carmen Coyoacán.
5554 83 57 • 5658 1265.

MUSEO NACIONAL DE SAN CARLOS
Noviembre 30-abril 4:
Espejismos del Medio Oriente: Delacroix a Moreau. La mirada orientalista de artistas europeos y estadounidenses.
Mayo 18-junio 18:
Las joyas de Berger. Joyería de fantasía fina, proveniente de Francia, Italia y Estados Unidos, de la colección Berger.
Puente de Alvarado 50. Tabacalera.
5566 8522 • 5592 3721.

MUSEO RUFINO TAMAYO
Febrero 24-junio 4:
Ernesto Pujol. Obra plástica.
Marzo 9-junio 4:
Ana Mendieta. Instalación, escultura, arte objeto, fotografía. Obra de crítica social.
Abril 20-junio 11:
Quisqueya Henríquez. Fotografía.
Reforma y Gandhi. Bosque de Chapultepec.
5286 6519 • 5286 6529.

MUSEO SOUMAYA
Enero 27-diciembre:
La leyenda de los cromos. El arte de los calendarios mexicanos del siglo XX en Galas de México. Exhibición de 35 piezas representativas.
Av. Revolución y Río Magdalena.
Plaza Loreto.
5616 3731 • 5616 3761.

MUSEO UNIVERSITARIO DEL CHOPO
Marzo 15-mayo 21:
El Chopo. Historia de un museo. Muestra de los diversos rubros incluidos en el patrimonio de este recinto universitario.
Abril 4-mayo 28:
¿Qué ha pasado con la pintura? Exhibición de pintura abstracta, en el marco del XVI Festival del Centro Histórico.
Enrique González Martínez 10.
Santa María la Ribera.
5546 8490 • 5546 5484.

PALACIO NACIONAL
Enero 5-mayo:
Una ventana al arte mexicano de cuatro siglos. Colecciones del acervo del Museo Nacional de Arte. Exposición que se presenta en los nuevos espacios del Palacio Nacional en tanto se desarrolla el Proyecto Munal 2000.
Plaza de la Constitución. Centro histórico.
5522 0943.

GALERÍAS

ANDRÉS SIEGEL/ARTE
Marzo-mayo:
Obra selecta de la colección Siegel. Manuel Rodríguez Lozano, Angelina Beloff y Fermín Revueltas, entre otros. Pintura.
Veracruz 40. Condesa.
5286 4818 • 5286 4837.

CASA DE LA PRIMERA IMPRENTA
Marzo 30-abril 29:
Edgar León. Grabado.
Mayo:
Francisco Javier. Pintura.
Lic. Primo Verdad 10. Centro histórico.
5522 1535.

EXPOSICIONES

CASA DEL LAGO
Febrero 26-mayo 30:
Esculturas de Jesús Mayagoitia.
Antiguo Bosque de Chapultepec, 1a. sección.
Entrada por Zoológico-Reforma.
52116093 • 52116094.

CASA DEL TIEMPO
Marzo 2-mayo 2:
Flor Minor. Obra gráfica.
Mayo 11-junio 11:
Ofelia Márquez. Obra reciente.
Pedro Antonio de los Santos 84.
San Miguel Chapultepec.
5515 8737.

CENTRO DE CULTURA CASA LAMM
Abril 26-mayo 21:
Marisa Lara y Arturo Guerrero. Pintura que
muestra los resultados del trabajo conjunto.
Mayo 25-junio 23:
Álvaro Santiago. Pintura-objeto reciente del
artista oaxaqueño.
Álvaro Obregón 99. Roma.
5514 4899 • 5525 0019.

ESPACE D'ART YVONAMOR PALIX
Marzo 29-mayo:
Tête à tête. Jean Marie Haesslé y Cecilia
Vázquez. Pintura abstracta.
Córdoba 37-7. Roma.
5514 5384.

FONDO CULTURAL CARMEN A. C.
Mayo 1-junio 17:
Recordando a Fernando Gamboa, en su
décimo aniversario luctuoso. Teresa Morán,
Enrique Estrada, Alfredo Farfán, Shirley
Chernitsky, Carmen Parra, Arnaldo Coen,
Vicente Rojo, Manuel Felguérez y
Pedro Cervantes, entre otros.
Cracovia 54. San Ángel.
5550 4518 • 5550 1277.

GALERÍA ARVIL
Enero-abril:
Colectiva. Francisco Toledo, Carlos Mérida,
Günther Gerzso, Joan Miró, David Alfaro
Siqueiros y Francisco Zúñiga, entre otros.
Exposición y venta de obra gráfica y originales.
Cerrada de Hamburgo 7 y 9. Juárez.
5207 2707 • 5207 2900.

GALERÍA DE LA LOTERÍA NACIONAL
Mayo 4-25:
El misterio del encuentro. Ana Queral. Pintura.
Edison 15. Colonia Tabacalera.
5140 7000 ext. 3143.

GALERÍA DE LA SHCP
Abril 4-julio 16:
Trayectoria. Obra escultórica de
Reynaldo Velázquez.
Guatemala 8. Centro histórico.
5521 4675 • 5518 5592.

GALERÍA ENRIQUE GUERRERO
Marzo 9-abril 30:
Abrazados-separados. Olga Adelantado. Instalación.
Horacio 1549-A. Polanco.
5280 5183 • 55280 2941.

GALERÍA ESTELA SHAPIRO
Marzo 4-abril 8:
Colectiva. Aarón Cruz, Alejandro Chacón
Pineda, Annie Rodríguez, Antonio López Sáenz,
Luis Granda, Mario Rangel, Rosa Luz Marroquín y
Saúl Kaminer. Pintura.
Victor Hugo 72. Anzures.
5254 1916 • 5254 2109.

GALERÍA JUAN MARTÍN
Marzo 29-mayo 10:
Mario Martín del Campo. Pintura, escultura y
joyería.
Mayo 17-junio 14:
Obra reciente. Jorge Robelo. Relieves y pinturas.
Dickens 33-B. Polanco.
5280 0277.

GALERÍA KIN
Abril 5-abril 30:
José Antonio Gurtubay. Esculturas en bronce.
Mayo 3-mayo 30:
Nidos. Juana Pérez Adelman. Pintura.
Altavista 92. San Ángel.
5550 8910 • 5550 8641.

GALERÍA METROPOLITANA
Marzo 23-abril 30:
Elena Villaseñor. Pintura.
Mayo 18-junio 18:
Keiko Kelson. Instalación.
Medellín 28. Roma.
5511 2761.

GALERÍA NINA MENOCAL
Abril 11-mayo 19:
Geysel Capetillo. Escultura.
Rodolfo de Florencia. Pintura.
Eduardo Muñoz. Fotografía.
Mayo 25-junio 30:
Serie de Banff. Laura Barrón. Fotografía.
Zacatecas 93. Roma.
5564 7209 • 5564 7443.

GALERÍA OMR
Marzo 14-Abril 19:
Te escucho. Yolanda Paulsen. Escultura.
Mayo 3-junio 10:
Carmen Calvo.
Plaza Río de Janeiro 54. Roma.
5511 1179 • 5525 3095.

GALERÍA ÓSCAR ROMÁN
Marzo 22-abril 28:
Luciano Spano. Pintura.
Mayo 3-junio 2:
Arturo Arvizu. Pintura.
Julio Verne 14. Polanco.
5280 0436 • 5281 0270.

GALERÍA PECANINS
Marzo-abril:
Jordi Boldó. Pintura reciente.
Abril-mayo:
Beatriz Zamora.
Durango 186. Roma.
5514 0621 • 5207 5661.

LA PANADERÍA
Abril:
Milena Múzquiz y Miguel Calderón.

Mayo:
Martín Ostereder y Fridolin Schönwiese.
Amsterdam 15. Hipódromo Condesa.
5286 7707.

POLYFÓRUM SIQUEIROS, A. C.
Abril 3-abril 17:
Cecilia Dagama. Pintura.
Insurgentes Sur 701. Nápoles.
5536 4520.

PRAXIS. ARTE INTERNACIONAL
Abril 15-mayo 15:
Colectiva de la galería. Roberto Cortázar,
Bruno Widmann, Santiago Carbonell y Gustavo
Aceves, entre otros. Pintura y escultura
contemporánea.
Mayo 15-junio 15:
Una historia en común. Roger Mantegani.
Pintura hiperrealista.
Arquímedes 175. Polanco.
5254 8813 • 5255 5700.

THE GALLERY ART AND DESIGN
Febrero 7-marzo 10:
Viaje a Oniritrón. José Volcovich.
Marzo 27-abril 28:
Écriture d'oiseaux: mémoires du vent.
Solange Galazzo. Pintura y arte objeto.
En colaboración con la embajada de Francia.
Galileo 37. Polanco.
5280 4098 • 5540 7429.

OUT GALLERY
Marzo 30-abril 20:
Dibujos al carbón. Rubén Castillo, José
Luis Sánchez Rull, Rubén Rosas y Joel Rendón,
entre otros. Trabajos realizados a partir de un
soporte poco común.
Abril 27-mayo 20:
Aniversario de Out Gallery. Diversos artistas de
la galería presentan su obra.
Colima 179. Roma.
5525 4500.

UNODOSIETE, ESPACIO CULTURAL
Marzo 8-abril 15:
Colectiva. Paloma Menéndez, Hugo
Kiehnle, Daniela Kiehnle, Víctor Guadalajara,
Virginia Chávez, Gabriel Macotela y Erick
Beltrán. Exposición con motivo del tercer
aniversario de la galería.
Mayo 17-junio 24:
Tesoros. Colectiva del "Atlético Santiago".
Instalación. Balam Bartolomé y
Dulce Chacón, entre otros.
Orizaba 127. Roma.
5264 1421 • 5264 3039.

Después del cierre de edición,
Artes de México
no se hace responsable
de los cambios relacionados
con las exposiciones.
Museos y galerías pueden
enviar su información a
Plaza Río de Janeiro 52,
Col. Roma, 06700,
México, D. F.
Teléfono 5208 3217.
Fax 5525 5925.
E-mail: artesmex@internet.com.mx

VOICES
of Mexico

Descubra, a través de excelentes textos e imágenes,

el esplendor de México

en un recorrido por las diferentes manifestaciones

históricas y contemporáneas de su arte y su cultura.

Además, *Voices of Mexico* pone a su disposición

ensayos, crónicas, reportajes y entrevistas sobre economía,

política, ecología y las relaciones internacionales

entre los países de la región de Norteamérica.

Informes: Tel: 659 2349, 659 3821 Fax: 554 6573 E-mail: paz@ servidor.unam.mx
http://www.unam.mx/voices

> "Somos, por primera vez en nuestra historia, contemporáneos de todos los hombres"
>
> Octavio Paz

... a 50 años de
El laberinto de la soledad

Herencia, Arte y Estilo.
Nuestro Orgullo.

CAMINO REAL

OAXACA

Noticias frescas importadas de Europa todos los días...

...y no es necesario comprarlas por kilo

EL PAIS

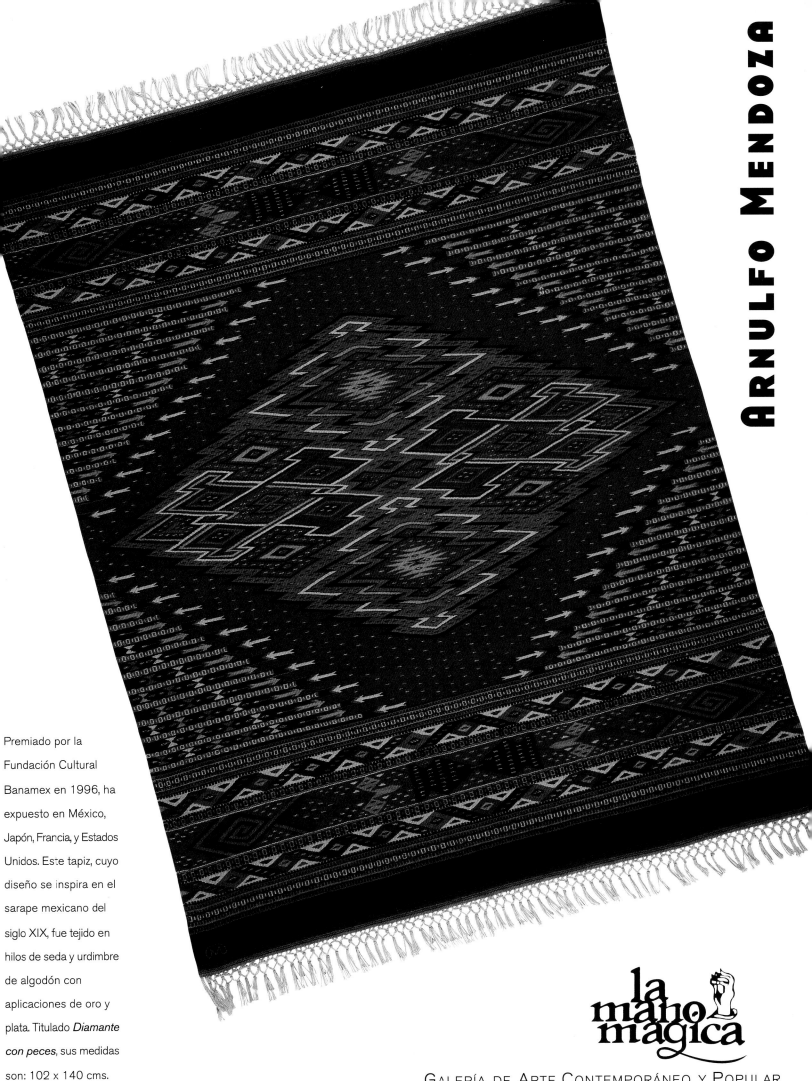

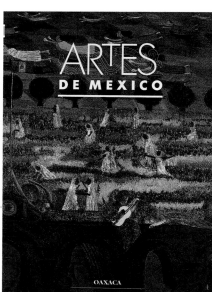

Nº 21

La ciudad de la luz hipnótica
es explorada en su esencia
más seductora: el Zócalo,
los templos dorados, Monte
Albán, sus leyendas, la mano
mágica de sus artistas...

ARTES
DE MEXICO

OAXACA

NUMERO 21, OTOÑO 1993

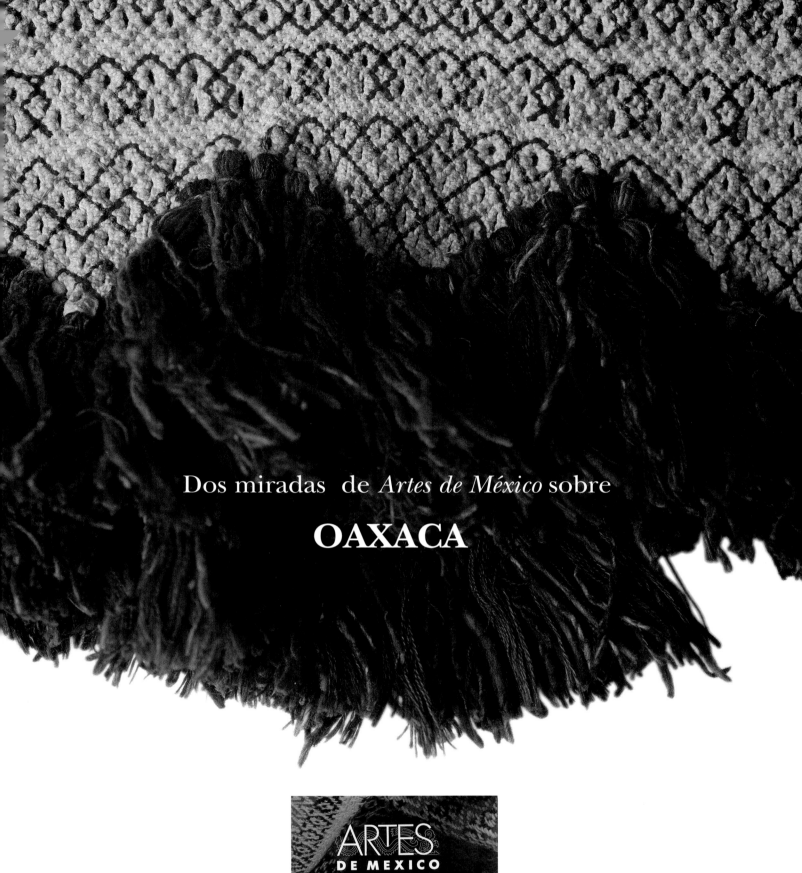

Dos miradas de *Artes de México* sobre

OAXACA

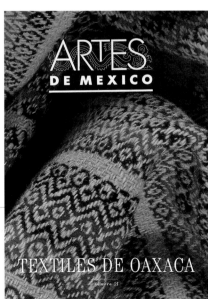

N° 35

El universo único de los indígenas oaxaqueños —zapotecos, mixes, triques, chinantecos, huaves...— encuentra su más espléndida expresión en el telar de misterioso lenguaje.

... En este libro desenfadado, el notable poeta cubano Orlando González Esteva se divierte y nos divierte ofreciéndonos con gracia e imaginación estos *Cuerpos en bandeja* que, como Octavio Paz escribió sobre sus poemas, son "pruebas de que el idioma español todavía sabe bailar y cantar"... Lo acompaña en esta fiesta editorial, ilustrando ampliamente el libro, el reconocido pintor cubano Ramón Alejandro, cuya obra ha encontrado en las frutas tropicales una de las cifras más claras del deseo.

CUERPOS EN BANDEJA

Frutas y erotismo en Cuba

ORLANDO GONZÁLEZ ESTEVA

Ilustraciones de

RAMÓN ALEJANDRO

Colección coeditada por Artes de México y el Consejo Nacional para la Cultura y las Artes.

ARERE MAREKÉN

CUENTO NEGRO DE

LYDIA CABRERA

ILUSTRADO POR

ALEXANDRA EXTER

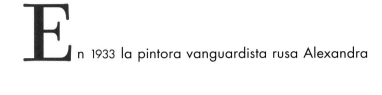

En 1933 la pintora vanguardista rusa Alexandra Exter, exiliada en París, presentó en una exposición de libros de artista organizada por Fernand Léger su original ilustrado de "Arere Marekén", un cuento escrito por su alumna, la cubana Lydia Cabrera. ⚘ Lydia conservó esa obra de arte en Cuba y al salir exiliada en 1960 la creyó perdida, como muchas obras de su colección. Pero el original fue salvado y ahora se imprime por primera vez en una edición facsimilar preparada por Artes de México, con prólogo de Rosario Hiriart y una presentación de Isabel Castellanos, las más destacadas especialistas en la obra de Lydia Cabrera. ⚘

Edición facsimilar limitada. 22.5 x 32.5 cm. 60 páginas.
$300 en México, $45 USD en el extranjero.

Plaza Río de Janeiro 52. Colonia Roma 06700, México, D. F.

Teléfonos 5208 3217, 5208 3205. Fax 5525 5925.

Ediciones Artes de México

artesmex@internet.com.mx ⚘ www.artesdemexico.com

Las nuevas generaciones conservan
lo mejor de sus antepasados.

Fotógrafo: Annegret Hesterberg.